할 수 있는 것부터

할 수 있는 것부터

2023년 3월 6일 초판 1쇄 발행

글 | 이재명
그림 | 김휘승

펴낸이 | 김완중
펴낸곳 | 내일을여는책

책임편집 | 김세라
디자인 | 박정화
선전본부장 | 김휘승
관리 | 장수댁
인쇄 | 아주프린텍
제책 | 바다제책

출판등록 | 1993년 01월 06일(등록번호 제475 - 9301)
주소 | 전라북도 장수군 장수읍 송학로 93 - 9(19호)
전화 | 063) 353 - 2289
팩스 | 063) 353 - 2290
전자우편 | wan - doll@hanmail.net
블로그 | blog.naver.com/dddoll

ISBN | 978-89-7746-012-6 03370

할 수 있는 것부터

산골 청소년과 놀며 배우는 배추쌤

글 이재명 | 그림 김휘승

내일을여는책

몇 년 전이다. 이재명 간사가 YMCA 활동을 다시 시작한다며 청소년 공간인 '달그락달그락'에 찾아왔다. 이후 인연이 되어 '길 위의 청년학교' 4기생으로 입학했고 학생회장으로 1년여간 활동했다. 이전에 알지 못했던 이 친구의 삶에 대해 조금씩 알게 되었다.

그는 자기 삶의 고민에 따라 자신이 설정한 보폭으로 꾸준히 활동을 이어가고 있었다. 그 안에서 청소년을 대하는 태도가 보였다. 현장에 진심인 친구다. 지역에서 살아내며 만나는 청소년들이 복이 되기를 바라며 최선을 다해 활동하고 있으며, 장수에서 삶을 나누는 시민들과의 관계 또한 깊다.

장수YMCA 10주년 기념으로 보고서를 만들려고 하다가 주변 권유로 쓰게 된 글이 자기 삶의 여정과 연결되었단다. 그리고 그 글이 이렇게 책이 되어 세상에 나왔다. 나는 활동가들이 현장에서 겪은 삶의 글이 누군가에게 읽히기를 간절히 바란다. 이재명의 글도 그렇다. 치열하지만 부드럽고, 어딘가 부족해 보이지만 청소년에게만큼은 나름의 전문성과 세심한 배려가 녹아 있다. 자기만의 철학과 신념을 통해서 꾸준히 활동을 이어 나간다. 그의 예민함이 활동의 긍정적인 기제로 작용하는 것으로 보인다.

청소년활동의 이유는 '변화'다. 그 변화의 정점에서 가장 중요한 기제로 작동하는 것은 누가 뭐래도 '글'과 '말'에 있다. 활동가가 꿈꾸며 만들어 가는 삶을 들여다보면 누군가의 변화가 보인다. 결국 당사자가 어떠한 존재이며 어떠한 삶을 사는지가 관건이다. 저자의 글은 그런 맥락에서 읽기에 좋다. 이 책을 시작으로 청소년과 함께 만들어 가는 현장의 글이 꾸준하게 사회에 안내되기를 기대하고 진심으로 응원한다. 이재명의 글이 책으로 나와서 다행이다.

정건희(청소년자치연구소 소장)

목차

3장 스스로 도전하고 탐색하며

일러두기

1. '배추쌤'은 장수의 어린이와 청소년들이 저자를 부르는 별칭입니다.
2. 책에 등장하는 어린이와 청소년의 이름은 개인정보 보호를 위해 실제와 다르게 표기했습니다.
3. 책에는 '서클대화', '회복적 생활교육'이라는 용어가 여러 차례 등장합니다. '서클대화' 방식을 따르는 것은 '회복적 서클', '스터디 서클' 등 다양합니다. 그중에서 주로 학교에서 진행되는 것을 '회복적 생활교육'이라 칭합니다.

책을 읽기에 앞서

내가 청소년활동을 하겠다고 마음먹은 게 마흔을 앞두고 있던 때였다. 그러고 보면 나에게 꿈이 없었던 건 아니지만, 꿈이 뚜렷하지도 않았다. 움켜쥘 수도 없는 막연한 꿈 그림자를 좇고 있었을 뿐이다. 청소년활동에 전념하기로 결심한 건 정말 우연이었다. 핀드혼 공동체에서 유래한 '자기변형게임'[1] 프로그램에 참여했을 때 무의식 깊은

---

1 핀드혼 공동체는 영국 스코틀랜드 애버딘 인근 바닷가의 작은 마을이다. 정식 명칭은 Findhorn Foundation으로 초기 설립자는 피터, 에일린, 도로시 세 사람이다. 1962년 설립된 이후 생태적이고 영적인 마을공동체로 알려져 해마다 만여 명이 방문하고 있다. 핀드혼 공동체에서 개발된 '자기변형게임'은 영적인 문제해결 도구로 물질·감정·정신·영적 차원에서 통찰을 얻게 해주는 보드게임이다.

곳에서 건져 올려진 것이었기 때문이다. 지금도 그 순간을 떠올리면 가슴이 환해진다.

그렇게 십 년이 훌쩍 지났다. 그동안 청소년들과 만나면서 청소년들이 변화하고 성장하는 데 이바지하는 것을 소명 삼아 살아왔고, 그 과정을 지켜보며 감동하고 뿌듯했으며, 때론 실패의 경험들로 실망한 적도 있다. 하지만 무엇보다 청소년들과 만나면서 나 자신이 변화하고 성장했다는 것을 이야기하고 싶다.

내가 이 글을 쓰는 까닭은 청소년을 만나는 활동가, 교사, 부모들에게 내가 청소년을 어떤 방식으로 만나고 어떻게 대하는지 공유함으로써 세상에 기여하고 싶기 때문이다. 내가 잘나서가 아니다. 실수투성이였지만 실수를 통해 배우고자 했고, 그 배움을 통해 얻은 깨달음을 나누고 싶었다. 부모도, 교사도, 활동가도 목적은 같을 것이다. 자녀가, 학생이, 청소년이 잘되기를 바란다. 그 길을 함께 걷고 싶은 것이다.

어떤 청소년들은 부모와 대화를 잘 나누는가 하면 어떤 청소년들은 부모와 대화하는 걸 힘들어한다. 나는 청소년 시절에 부모와 대화하는 게 어려웠다. 그렇기에 조금이나마 청소년들 처지를 헤아릴 수 있었다. 부모는 청소년기의 자녀가 어떤 생각을 하는지 궁금하고 알고 싶다. 그런데 말을 하지 않으니 답답해한다.

어떤 청소년은 이번 생은 망했다며 모든 것에 흥미를 잃고 무기력해 보이기도 한다. 학생뿐만 아니다. 교사가 수업할 때 학생들의 호응과 피드백이 있으면 신나게 할 수 있다. 그런데 아무런 반응이 없을 때 교사는 어떤 심정이 될까? 청소년을 만나는 활동가는 또 어떤가? 청소년들이 활동가의 마음을 몰라줄 때 얼마나 속상한가? 서로 응원하고 지지하고 상호작용하지 못하고, 서로 '갉아먹는' 시대다.

나는 2016년 겨울, 장수에 내려왔고 2017년부터 YMCA 활동을 다시 시작했다. 이곳에서 만난 청소년들의 첫인상은 순수하고 착하다는 것이었는데 얼마 지나지 않아 그 배경을 알게 되었다. 산골의 청소년들은 자기표현과 감정표현에 서툴렀다. 그리고 남이 시켜서 하는 것에 익숙했다. 그게 나에게 순수하고 착한 모습으로 비친 것이다. 산골지역의 특성인지는 모르겠으나 특히 교육에 대해서는 여전히 보수적이다. 자기표현을 잘하던 어린이들이 성장하면서 주변 분위기의 영향을 받아 청소년이 되어선 입을 닫게 되었으리라.

누구나 존재만으로 가치가 있다. 누구나 아직 발견되지 않은 원석을 품고 산다. 나는 장수 산골 청소년들이 스스로 쓸모없다고 여기지 않도록 각자 지닌 가치를 함께 찾고 싶었다. 또한 청소년들을 만나 활동하면서 내면의 가치를 찾는 것 못지않게 가치대로 살아가는 것이 더 중요하다는 것을 가슴 절절히 알게 되었다.

청소년들에게 진로와 관련된 강의를 할 때 나는 이렇게 얘기하곤 했다.

"가슴 뛰는 일을 해라!"

대부분 동의할 것이다. 나 역시 그렇게 믿었다.

'가슴 뛰는 일을 해라!' 참 멋있게 들린다. 하지만 나는 다른 시각에서 보고 싶다.

노트북이 너무 사고 싶다. 사야 할 이유를 백 가지도 넘게 댄다. 상품을 검색하고 가격을 보고는 한숨만 쉬다가 정말 가슴 뛰게 '이건 꼭 사야지' 하는 것을 발견한다. 10개월 할부로 '질렀는데' 석 달도 지나지 않아 가슴 뛰는 게 사그라든다. 연애와 결혼도 마찬가지 아니던가! 없으면 못 견딜 것 같고 매 순간 떠올려져서 설레던 감정이,

언제부턴가 옆에 없으면 편하고 함께 있으면 숨 막히고 매 순간 '이 웬수~'라는 감정으로 변질하지 않던가!

'하고 싶은 일'이 '해야 하는 일'로 바뀌는 데는 오래 걸리지 않는다. 가슴 뛰는 일을 찾아서 그 일을 시작하더라도 뜻밖의 복병을 만나게 된다. 익숙해지고 둔감해지면서 지루해지고, 이게 내 길이 맞나 고민하게 된다.

2001년 2월 19일은 남양주YMCA에 처음 출근한 날이다. 2월 18일, 그러니까 첫 출근을 앞둔 날 밤에 나는 잠을 설쳤다. 꿈에 그리던 시민 활동가가 되었다니, 기대와 흥분으로 설레서 잠을 이루지 못했던 게 생생하게 기억이 난다. 그렇게도 가슴 뛰는 일이었는데 3년이 지나니까 '이 길이 내 길이 맞나?' 고민이 시작되었다. 3년 주기로 고민이 찾아왔다. 6년째 되던 해에 한 번 더 고비가 찾아왔다. 한 번 두 번은 어떻게든 잘 넘어갔는데 9년째 되던 해에 세 번째 고비가 왔을 때는 못 넘겼다. 딱 9년을 채우고 퇴사했다.

내 길이 아닌 것 같아서 그만두었던 YMCA 일을 다시 하고 있다. 하지만 그때와 다르다. 장수에 와서 청소년활동을 한 지 6년이 지났는데 예전에 했던 고민을 지금은 하지 않는다. '하고 싶은 일'이 '해야 하는 일'로 바뀌지 않고 '하고 싶은 일'로 남아 있다. 사그라들었던 가슴이 여전히 뛰고 있다. 분명히 같은 YMCA 일인데, 또 청소년과 어린이들을 만나는 일인데 왜 달라졌을까?

남양주YMCA를 그만두고 수년간 방황하며 만난 사람들을 통해 '하고 싶은 일'이 '해야 하는 일'로 변질하지 않고 오히려 '해야 하는 일'을 '하고 싶은 일'로 진화시키는 마법을 발견한 덕분이다. 지금은 청소년들에게 가슴 뛰는 일을 찾으라고 말하지 않는다. 대신 '할 수 있는 것부터' 해보자고 한다. '할 수 있는 것부터!' 단순해 보이지만 내가 발견한 마법이다.

이 책은 3개의 장으로 구성되어 있다.

1장은 내가 만난 사람들과 그 경험을 통해 배우고 변화했던 이야기다. 사람마다 경험이 다를 테지만, 함께 가는 세 사람 중에 반드시 스승이 있다는 말처럼 누구에게든 배울 점이 있다고 믿는다.

2장에서는 '서클대화'라고 불리는, 오래되었지만 새로운 방식에 대한 경험을 소개했다. 서클대화는 다양하게 응용되고 있다. 이 책에서는 학교 현장에서 학생 사이의 관계 형성과 갈등 해소를 위한 '회복적 생활교육'을 주로 다루었다. 어린이, 청소년들과 대화를 트는 데 요긴하니 주의 깊게 읽어주시면 좋겠다.

3장에는 청소년들과의 만남에서 눈에 보이지 않던 잠재력과 가치를 발견했던 사례들을 담았다. 이 책에서 내가 하고 싶은 이야기를 단 한 줄로 요약해보자면 '보이지 않는 것에 관심을 두면 보인다'라는 것이다. 청소년이 보여주는 말이나 행동만으로 판단하고 평가하기보다 그 너머에 있는 진심 혹은 보이지 않는 가능성에 대해 주목해보자는 것이다. 존재만으로 가치가 있다는 걸 청소년들이 스스로 알면 좋겠다. 청소년은 주변의 어른들에게 꽤 영향을 많이 받는다. 부모와 교사와 활동가의 역할이 얼마나 중요한지 새삼 느끼게 된다.

책을 통해 내가 만능의 해답을 줄 수는 없다. 다만, 이 책이 현장에서 학생과 청소년을 만나는 활동가와 교사, 부모님들에게 하나의 통찰insight(인사이트)을 제시할 수 있다면 좋겠다.

자녀가 부모에게 말을 하지 않거나 학생들이 수업 시간에 질문하지 않고, 청소년활동에 호응하지 않는다면 분명 이유가 있다. 또 청소년들이 삶의 이유 혹은 꿈을 찾지 못

하는 데에도 그럴만한 이유가 있다. 나의 경험이 교사와 학생, 부모와 자녀 사이를 부드럽게 연결하는 주홍 실이 되면 좋겠다.

감사의 글

이 책은 나의 손을 빌려 쓰였지만 내가 만났던 사람들과 청소년들이 함께 쓴 책이다. 그리고 이 책에는 많은 분의 사랑이 담겨 있다. 이 책이 나올 수 있도록 지혜와 도움을 나눠주신 분들께 지면을 빌어 감사드리고 싶다. 우선 청소년활동을 이끌어주시고 정성 어린 조언을 아끼지 않은 청소년자치연구소 정건희 소장님께 존경의 마음을 전하고 싶다. 또 이 책이 나오기까지 수고로움을 함께 해주고 글을 다듬어주신 박민채 선생님과 회복적 산골의 토대를 닦아주신 조가영 선생님은 장수에서 만난 보석 같은 분들이다. 나를 서클의 길로 인도해주신 김석봉 목사님, 박성용 목사님께도 감사드린다. 나의 삶에 영향을 끼친,

일일이 열거할 수 없을 정도로 많은 분이 나의 내면을 채워주셨다. 사업보고서로 나올 뻔한 것을 기꺼이 책으로 내주신 내일을여는책 김완중 대표노동자께도 감사드리고 싶다.

그리고 누구보다 YMCA에서 청소년활동에 함께한 청소년들, 사랑한다!

1장

인연과 배움

PART 01

윌리에게 배운 것

"선생님! 깜짝 놀랄 일이 있어요!"

수화기 너머에서 상기된 목소리가 흘러나왔다. 조 선생님이었다. 2021년 4월쯤이었나 보다. 조 선생님이 근무하는 초등학교에서 '회복적 생활교육'을 하고 싶다고 요청해서 3학년과 한 달간, 5학년과 두 달간 매주 금요일 아침에 만났다. 애초에 5회기를 하기로 했는데 5학년 학생들의 요청으로 3회기를 더 늘렸다.

"무슨 일이신데요?"

나도 덩달아 놀라서 물었다.

"서클에 힘이 있어요, 선생님!"

수화기 너머로 들려오는 조 선생님의 목소리는 차분했지만 단단했다.

"아이들이 저한테 오더니 자기들끼리 다투었다고 그러는 거예요. 그래서 '우리 대화모임 할까?' 그랬더니 자기들끼리 놀이터에 둥그렇게 둘러앉아서 대화모임을 했다는 거예요. 평소에 우리끼리 했던 대화모임 방식을 기억하고 그 순서대로 했다더라고요. 자기들도 다툼이 풀려서 신기하대요."

배와 가슴 쪽으로부터 따듯한 무언가가 올라오는 것이 느껴졌다.

5학년 학급에서 진행한 회복적 생활교육은 프로그램이 착착 진행되었지만, 3학년 학급에서는 내가 준비한 대로 이루어진 적이 없었다. 누군가를 탓하거나 "너 때문이잖아"라며 비난하거나 "재, 또 그런다" 이런 속삭임이 오고 가거나 했다. 아이들은 격앙되어 울음을 터뜨리기도 했다. 진행자로서 이런 상황은 별로 맞닥뜨리고 싶지 않다. 머릿속이 하얘지고 어떻게 대응해야 할지 막막한 순간이다. 내가 준비한 프로그램은 무용지물이다. 이때 집중할 대상은 어린이들이 느끼고 있는 감정이다. 회피하지 않고 직면했다. 하지만 주어진 시간은 한정되어 있다. 서로의 감정과 느낌을 충분히 드러내기에는 부족했다. 그래서 내 기억에 남아 있는, 3학년 어린이들과 함께했던 회복적 생활교육에 대한 단상은 '망했다'라는 이미지였다. 그런데 그 3학년 학급의 담임선생님이 놀라운 일이 벌어졌다며 전화를 걸어온 것이다. 도대체 무슨 일이 있었던 걸까? 뒷이야기는 2장에서 소상히 다뤄볼 것이다.

먼저 회복적 생활교육[2]에 대해 언급하고 넘어가자. 학교에서 주로 이루어지고 있는 생활지도는 잘못을 저지르면 처벌하는 방식이다. 이러한 방식을 '응보적 생활지도'라고 부른다.

아래 질문에 대해 어떤 생각이 드는지 궁금하다.

---

2 회복적 생활교육에 관한 책이 시중에 많이 나와 있다. 참고할 만한 것으로 『회복적 교육』(캐서린 에반스 · 도로시 반더링, 2020, 대장간), 『회복적 생활교육으로 학급을 운영하다』(강현경 외, 2018, 교육과 실천) 등이 있다.

"혼내고 야단치면 잘못된 행동이 고쳐질까?"

"잘못을 저질렀을 때 야단을 맞고 혼나면 잘못된 행동을 그만 두거나 반성할까?"

어른들뿐만 아니라 청소년들조차도 자신이 혼나야 정신을 차린다고 대답하기도 한다. 하지만 그렇지 않다고 나는 단호히 이야기할 수 있다. 친구와 싸웠거나 잘못을 저질렀을 때 억지로 화해시키거나 혼내면 오히려 반발심과 복수심이 든다. 처벌하지 말자는 이야기가 아니라, 처벌을 달게 받도록 일깨우자는 말이다. 응보적 생활지도의 대안으로 떠오른 것이 회복적 생활교육이다. 회복적 생활교육은 한마디로 교실 안에서 망가진 관계를 회복하자는 것이다.

현재 학교 현장에서는, 잘못된 행동으로 인해 영향받은 사람이 회복할 수 있도록 보살핌이나 배려를 받지 못하는 실정이다. 잘못을 저지른 사람에게 가할 처벌에 집중되어 정작 피해 당사자를 다독이고 보살필 기회가 제공되지 못하기 때문이다. 가해자는 처분받았으니 다된 것 아니냐며 항변한다. 피해자의 깨지고 부서진 마음은 그 누구도 헤아리지 않는다.

진정한 관계의 회복은 피해를 회복하는 데 중점을 두어야 한다. 또한 잘못된 행동으로 어떤 영향을 끼쳤는지 스스로 자기책임을 다하도록 알려주어야 한다. 잘못된 행동으로 인해 개인과 공동체에 끼친 영향을 직면하여 문제를 다룰 수 있게 도와주고 피해당한 사람이 회복될 수 있도록 지원하는 것이 회복적 생활교육이다. 회복적 생활교육은 예방 차원에서도 필요하다. 서로 진심을 확인하면 불필요한 감정을 낭비하거나 부딪히지 않기 때문이다. 최근에는 생활지도 영역만이 아니라 교육 전반에 회복적 철학이 필요하다고 여겨 회복적 교육으로 확장되는 경향이다.

회복적 생활교육은 '대화모임'으로 부르기도 하는 서클대화 방식의 한 갈래다. 서클대화의 뿌리는 인디언들의 지혜에서 나왔다. 인디언 부족의 지도자인 추장은 권한을 자신이 독점하지 않는다. 다툼이나 갈등과 같은 중요한 사안이 생겼을 때 원 안에서 모두가 동등하게 목소리를 낼 수 있도록 권한을 나눈다.

서클대화 방식은 이렇다. 모두가 둥글게 둘러앉는다. 둥글게 둘러앉는 것에는 모두가 동등하고 누구나 목소리를 낼 수 있다는 의미가 담겨 있다. 정해진 주제 또는 이슈에 대해 돌아가며 각자의 의견과 느낌을 표현한다. '목소리가 작아서' 또는 '수줍어서' 등의 다양한 이유로 말을 잘 안 하는 사람에게도 하고 싶은 말은 있기 마련이다. 다만 목에 걸려 있을 뿐이다. 모두에게 말할 기회를 주면 평소에 말수가 적은 사람도 자기 생각과 의견을 이야기하게 된다. 서클대화의 본질은 경청을 통해 상대의 마음을 헤아리는 것이다. 내가 그 당사자가 아닌 이상 그 처지를 정확히 알 수는 없다. 하지만 인간에게는 공감이라는 놀라운 능력이 있다. 나는 종종 타인에게 공감하지 못한다는 소리를 듣곤 했는데, 나에게도 머리가 아닌 가슴으로 공감을 알게 된 경험이 우연히 찾아왔다.

명상과 요가로 알게 된 선생님이 있다. 선생님 댁에는 콜리 종으로 탐스러운 갈색 털을 가진 '윌리'라는 개가 있었다. 사람들은 윌리를 무서워했는데, 윌리에게 독특한 습성이 있었기 때문이다. 나 역시 윌리가 무서워서 선생님 댁을 방문하기가 꺼려졌었다. 윌리는 선생님 댁 현관에 묶여있었는데 그의 습성은 이랬다. 손님들이 선생님 댁의 현관문을 열고 들어갈 때는 아무 일도 일어나지 않았지만 모임을 마치고 밖으로 나설 때 문제가 발생했다. 문을 나서는 사람들에게 윌리는 허연 잇몸을 드러내며 사납게 덤벼들었다. 선생님과 지인 몇을 제외하곤 거의 모든 사람에게 그랬다.

선생님의 사정으로 한동안 내가 윌리를 맡아 함께 살아야 하는 상황이 되었다. 윌리가 문 가까이에 묶여있었기에 집 밖에 나가기가 무섭고 꺼려졌다. 어느 날은 윌리와 거리를 두고 한참을 쭈그리고 앉아 있었다.

'윌리, 너와 잘 지내고 싶어. 날 좀 도와줘!' 마음속으로 애원했다. 으르렁거리며 사납게 달려들던 윌리도 제풀에 지쳤는지 자리에 털썩 주저앉았다. 한동안 서로 눈만 쳐다보며 앉아 있는데, 내 신세가 처량하기도 하고 개한테 무시당하는 게 서러워 울컥하는 마음이 들었다. '존중받고 싶은데….' 그러다 '윌리도 존중받고 싶은 건 아니었을까?' 하는 생각이 퍼뜩 스쳤다. '윌리 입장에서는 말없이 집 안을 드나드는 사람들에게 무시당한다고 느꼈을지도 몰라.' 생각이 여기에 미치자 한 가지 실험을 해보기로 했다. 외출하고 나서 집에 들어가기 전에 윌리에게 인사를 한다면 어떨까?

말 같지도 않다고 생각하면서도, 한편으론 밑져야 본전이니 집 안에 들어서기 전에 이름을 부르며 인사를 하고 냄새를 맡게 했다. 집 안으로 들어선 뒤 시간이 얼마간 흐른 후 떨리는 마음으로 문을 열고 나와 보았다. 그런데 이게 웬일, 사납게 으르렁거리며 달려들어야 할 윌리가 얌전하게 앉아 있는 게 아닌가! 나는 깜짝 놀랐다. 윌리가 나에게 존중받았다는 표현으로 여겨졌기 때문이다. 서로 말은 통하지 않았지만, 진심이 통한 것 같아서 뛸 듯이 기뻤다. 손등을 코에 대고 머리를 쓰다듬었다. 윌리는 오히려 혀로 손등을 핥아주었다. 그렇게 윌리와 친해졌고 집에 오는 손님들에게 규칙을 일러주었다. 집 안으로 들어서기 전에 윌리와 인사하고 냄새를 맡게 하니 그 뒤부터는 아무 일도 일어나지 않았다. 그 뒤로 윌리는 나에게 완전히 마음을 열고 모든 것을 맡겼다. 이 경험은 나에게 의미가 컸다. 관계가 전환되면서 새롭게 맺어지는 경험이었기 때문이다. 나는 관계 맺기 힘든 사람을 만날 때마다 윌리를 떠올렸고 사람에게 적용하기 시작했다.

PART 02

배밀이하던 아기 때를 기억하는가?

아기가 태어나 누워 있다가 뒤집고, 배밀이를 하며 기어 다니다가 두 발로 서는 데까지 걸리는 시간이 대략 1년 정도일 것이다. 돌 무렵엔 대개 걷기 시작하니까. 두 발로 서기까지 아기는 몇 번이나 넘어질까? 정확하진 않겠지만 기어 다니다가 일어서는 데까지 걸리는 시간이 10개월이라고 가정하고, 하루에 서른 번 정도 넘어진다면 대략 만 번 정도 넘어졌다가 일어서는 것이다. 아기들은 약 만 번의 실패를 겪고 나서야 직립보행을 자유자재로 하게 되는 것이다. 어른이 된 지금이야 걷는 게 아무렇지도 않지만, 아기 때는 걷기 위해서 얼마나 필사적이었던가! 게다가 아기들은 포기라는 걸 모른다. 넘어지면 일어서고 넘어지면 또 일어선다. 만 번의 실패를 딛고 난 첫 성공! 기적 같은 일이 아닐까? 반면, 자라면서 우리는 한두 번 해보고, 또는 해보지도 않고서 쉽게 포기하는 게 얼마나 많은가? 우리 모두에게도 포기하지 않던 시절이 있었는데 말이다.

어떤 일이든 능숙해지려면 만 번까지는 아니더라도 숱한 시도와 경험이 필요하다. 윌리를 통해 한 번의 경험으로 배웠다고는 하지만 단번에 모든 것에 적용되지는 않았다. 실수를 통해 배우면서 조금씩 타인의 마음을 헤아리는 법을 터득했다.

한 가지 떠오르는 사건이 있다. 나에게도 그랬지만 그 청소년에게도 마음 아픈 기억이었을 것이다. 청소년돌봄센터에서 진로 탐색 프로그램을 진행한 적이 있다. 두 번째 시간이었다. 한 청소년이 계속 수업 분위기를 흐렸다. 뚱한 표정으로 참여하기 싫다는 느낌을 강하게 드러냈다. 나는 슬슬 짜증이 올라오기 시작했지만, 짜증이 난 상태로 진행하고 싶지는 않았다. 다른 아이들이 방해받지 않을 권리를 생각해낸 나는 뚱한 표정의 청소년에게 부드럽게 말했다.

"다른 사람이 방해받지 않도록, 이 활동을 하고 싶지 않거나 여기에 있고 싶지 않으면 나가도 된다."

내 딴에는 배려해서 부드럽게 말한 것이었는데 그 학생은 나를 쏘아보며 자리를 박차고 나갔다. 그리곤 1년 가까이 나와 말을 섞지 않았다. 내가 놓친 것은 무엇인가? 한동안 괴로웠다. 내 말이 부드러웠음에도 그 청소년의 처지에서는 수업에 배제된 것이었다. 그것도 또래들이 있는 자리에서 말이다. 나는 그 학생의 마음을 헤아리기는 커녕 제대로 잘못짚었다.

누군가의 마음을 헤아린다는 것은 어떤 것일까? '역지사지' '상대방의 마음을 꿰뚫는다' '마음을 읽는다' 이런 말들을 곧잘 쓰는데 실제로 남의 마음을 알 수 있을까? 내 마음도 모르는데 남의 마음을 어떻게 알 수 있지?

헤아린다는 것은 미루어 짐작한다는 것이다. '그럴 거야' 하고 가늠하고 추측하는 것이다. 짐작하고 추측한 게 맞을 수도 있고 틀릴 수도 있다. 그래서 살피고, 정말로 그러한지 확인해보아야 한다. 확인 과정이 중요하다.

연인에게 '깜짝 선물' 또는 '깜짝 방문'을 하면 어떨까? 사람에 따라 다를 텐데, 연애 경험이 별로 없던 시절 나는 종종 '서프라이즈'를 제공했다. 그렇게 하면 상대방이 좋아할 거라고 짐작했기 때문이다. 하지만 상대방은 매번 뜨뜻미지근하거나 시큰둥했다. 연인의 반응에 '이 사람이 나를 안 좋아하나? 내 선물이 별로인가?' 하고 짐작했는데 나중에 확인해보았더니 내 짐작은 완전히 빗나가 있었다. 연인은 서프라이즈가 당황스러웠다며 오히려 미리 알려주었다면 기다리는 동안 내내 설레고 행복했을 거라고 일러주었다. 만약 확인하지 않았더라면 나는 상상의 나래를 펼치며 목적지가 어딘 지도 모를 곳으로 향해 가다가 전혀 엉뚱한 곳에 불시착했을지도 모른다. 상대의 마음을 헤아린 후 대화를 통해 정확히 확인하는 일은 매우 중요하다.

중학생 연아는 주로 혼자였다. 어릴 적에 따돌림당한 경험도 있었다. 그래서 연아를 볼 때마다 안쓰러웠다. 모임에 나오도록 권유했지만, 그때마다 번번이 거절당했다. 어떤 계기로 인해 연아가 내가 진행하는 글쓰기 프로그램에 들어오게 되었다. 글을 쓰면서 연아는 서툴지만 자기 마음을 글로 풀어냈다. 내가 짐작한 연아의 마음은 외롭다는 것이었다. 주로 혼자 있으니 얼마나 외로울까 싶었기 때문이다.

그런데 글로 풀어낸 연아의 실제 마음은 혼자 있어서 평온하고 좋다는 것이었다. 오히려 혼자만의 시간이 필요하다는 말에 나는 뒤통수를 맞은 느낌이었다. 완전히 헛다리 짚었구나. 연아에게 어떤 질문을 하거나 선택을 요청하면 거의 괜찮다거나 상관없다는 대답이 돌아온다. 주변 사람들은 진짜로 괜찮지는 않을 거라며 의심하곤 했다. 연아의 진짜 마음은 괜찮았다는 걸 지금 나는 믿는다. 그리고 사람들이 자신을 있는 그대로 봐주지 않는 것에 대해 답답해할 것을 안다. 만약 확인 과정이 없었더라면 나는 여전히 연아를 오해하고 있었을 것이다.

어릴 적 나에게 미국 사람은 다 똑같아 보였다. 구별이 안 되었다. 그도 그럴 것이, 만나본 적이 별로 없었기 때문이다. 1980년대 초반, 일요일 오전에 '초원의 집'이라는 미국 드라마가 선풍적인 인기를 끌었는데, 당시 나는 등장인물을 거의 구별하지 못했다. 내가 구별할 수 있는 건 남자, 여자, 아이, 어른 정도였다. 남자 어른들은 모두 한 사람이 연기하는 것처럼 보였다. 자라면서 국내에 외국인이 많이 들어오고 드라마나 영화를 통해서 다양한 인물 캐릭터들을 접하면서 점차 제대로 구별할 수 있게 되었다.

마음을 헤아리는 것도 비슷하다. 처음엔 짐작하는 것이 맞는지 아닌지 구별하기 어렵다. 그러다가 확인 과정을 거치고 경험이 쌓이다 보면 세밀한 차이들이 눈에 보이기 시작한다. 혹시 지금 책을 만지고 있는 손의 느낌이 느껴지는가? 혹은 의자나 바닥과 닿은 피부의 느낌이 느껴지는가? 어떤 느낌인가? 지금 기분은 어떤가? 이 질문들에 대해 명료하게 대답하기 어렵다면 구별이 잘 되지 않는다는 뜻이다. 내 기분이, 내 감정이 어떤지 들여다본 경험이 별로 없기 때문이다.

청소년들에게 지금 느낌이 어떠냐고 물어보면 대개는 '모른다'라고 하거나 '짜증'이라는 낱말로 대신한다.

"지금 기분이 어때?"

"몰라요."

"오늘 학교에서 어땠어?"

"짜증 났어요."

청소년들도 자신들의 감정이 어떤지 들여다본 경험이 적기 때문에 자신의 느낌과 감정을 잘 모른다고 표현한다. 짜증 난다는 것은 감정일까? 생각일까? 복합적으로 섞여 있지만 생각에 가깝다. 감정이란 마음이라는 감각기관에 닿은 자극을 해석한 것이다. 짜증으로 느껴지는 감정을 들여다보면 어떤 것은 슬픔, 또 어떤 것은 화 또는 두려움 등이 깔려있다. 감정에 대한 경험적 해석이 쌓여 있지 않을 때 '모른다' 또는 '짜증'이라는 말로 뭉뚱그린다.

어릴 적에 큰아버지께서 간암으로 병원에서 임종을 맞으셨는데, 병문안을 갔던 나는 아무 느낌이 없었다. 아니, 아무 느낌이 없는 줄 알았다. 슬픔도 느껴지지 않았다. 그렇다고 나에게 아무런 감정이 없었을까? 아니다. 단지 감정을 구별하지 못했을 뿐이다. 그 이후로 이별의 사건들을 겪으면서 슬픔을 배웠다. 요즘엔 드라마를 보면서 눈물을 흘리는 일이 많아졌는데 나이가 들면서 호르몬이 변화한 탓도 있겠지만 경험을 통해 슬픔이라는 감정을 구별할 수 있게 되었기 때문이다.

마음을 헤아린다는 것은 감정을 세밀하게 구별할 줄 안다는 것이고 공감한다는 것이다. 애지중지하던 강아지가 죽었거나 나를 길러주신 할머니가 돌아가셨다거나 사랑하는 사람과 이별하는 등 살면서 슬픔을 겪게 된다. 같은 사건을 겪더라도 내가 감당할 슬픔과 타인이 감당할 슬픔은 다르다. 눈물을 흘리는 타인이 슬퍼한다는 것은 알지만 그 슬픔의 깊이와 질이 어떤지는 그 사람이 아닌 이상 알 수 없으리라. 하지만 공감하면 타인의 경험일지라도 마치 내가 겪은 것처럼 느껴진다. 타인에게 공감한다는 것은 그 사람과 내가 연결되었다는 의미다.

PART 03

청소년활동가의 씨앗

나는 모태신앙이다. 어릴 적엔 일요일에 교회에 가기보다 그 시간에 만화를 보고 싶었다. 어떤 계기로 교회에서 멀어지게 되어 발길을 끊었다가 고등학교 선배의 권유로 다시 교회에 가기 시작했고 그때부터는 꽤 열심히 다녔다. 무슨 임원인가를 맡았는데 어느 날, 우리를 이따금 도와주시던 선생님이 임원들이 고생하니 저녁을 사주겠다며 자기 직장 근처인 충무로로 불렀다. 경양식집에서 오므라이스를 먹었다. 부모도 아니고 친척도 아니면서 나에게 밥을 사주며 학교생활이 어떤지, 꿈이 뭔지, 뭘 하고 싶은지 물어본 어른을 만난 것은 처음이었다. 겨울이었지만, 따듯했다. 나도 저런 좋은 어른이 되고 싶다고 생각한 것 같다. 지금 와서 돌이켜보면 어쩌면 그때 씨앗이 뿌려진 게 아닌가 싶다.

남양주YMCA에서 일할 때였고 그해는 2006년 여름이었다. 경기도 남양주시에는 축령산자연휴양림이 있다. 그곳에서 2박 3일간 '숲 체험 학교' 프로그램을 운영했다. 수원이었던 걸로 기억된다. 아침 8시 30분쯤, 45인승 버스에 아이들을 태워 축령산으로 이동하기 위해 준비하고 있었다. 제법 덩치가 큰 5학년 학생이 버스에 타자마자 맨 뒷좌석으로 터벅터벅 걸어가더니 의자에 가방을 휙 집어 던지고는 팔짱 끼고 앞좌석에 다리를 척 걸치는 모습이 눈에 띄었다. '재, 뭐지?' 속으로 생각하며 지켜보았다. 차창 밖에선 엄마로 보이는 사람이 손 흔들며 잘 다녀오라 하는데 눈길조차 주지 않았다.

그 아이의 이름을 진우라고 하자. 진우가 내 모둠에 들어왔다. 모둠 이름을 짓고 깃발을 만들고 서로 소개하며 프로그램을 시작하는데, 아니나 다를까, 건드리면 터트리겠다는 듯이 살기 어린 눈빛에 고난을 몽땅 짊어진 듯 잔뜩 찡그린 눈썹과 짜증이 덕지덕지 묻은 입을 삐죽이며 "이거, 꼭 해야 해요?" "안 하면 안 돼요? 하기 싫은데" "아

~씨, 짜증 나"라고 하며 삐딱하게 분위기를 흐렸다. 아이들도 그의 눈치를 보느라 숨죽이고 있었다. 순간적으로, 맞부딪치면 안 되겠다는 직감이 들었다. 다른 참가자들에게 양해를 구했다. 진우가 지금 아무것도 하기 싫다는데, 우리 딱 5분만 아무것도 하지 말자고. 침묵으로 고요한 5분의 정적은 무척 길었다. 고개를 푹 숙인 아이들의 한숨소리와 적막한 시간이 흐르던 중 못 견디겠는지 진우가 정적을 깨트리며 뭐라도 하자고 한다.

비로소 준비한 프로그램을 시작했다. 2박 3일 내내 비가 왔다. 비가 꽤 왔고, 나뭇잎으로 배를 만들어서 빗물로 생긴 물길에 띄웠고, 빗방울에 젖은 거미줄을 찾아다녔다. 판초 우의를 입고 빗소리를 몸으로 느끼며 빗물 웅덩이에서 첨벙첨벙 뛰어다녔다. 프로그램의 압권은 안대로 눈을 가리고 줄에 의지해 일정한 구간을 이동하는 것이었다. 시각을 차단하면 불안해진다. 누군가의 도움이 없이는 한 발짝도 떼기 힘들다. 진우는 다른 사람의 도움을 받으며 엉거주춤한 동작으로 걸었다. 조금씩 마음을 열었고 자기 이야기를 꺼냈다. 진우는 방학 내내 캠프를 돌았다고 했다. 여기를 마치면 바로 강원도 어디로 가서 해부하는 캠프에 들어간다고 했고, 자기 얘기는 듣지도 않고 억지로 캠프를 신청해서 싫고 짜증이 난다고 했다.

마지막 날이 되어서 돌아가야 하는 순간, 진우의 표정과 눈을 잊을 수가 없다. 첫날, 그렇게도 하기 싫다고 오만가지 인상을 쓰며 사납게 굴던 표정은 온데간데없이 어쩌면 그리도 해맑고 천진하던지, 하루만 더 있으면 안 되냐고 묻던 그 아이의 간절한 표정이 잊히지 않는다. 아들에게 뭐든 해주고 싶은 마음에 엄마의 눈엔 정작 당사자가 싫어하는지 좋아하는지가 보이지 않았을 것이다. 그걸 감내하고 견뎌왔을 진우가 안타까웠다. 나는 사람이 쉽게 변하지 않는다고 믿어왔다. 그런데 그 순간엔 사람이 변할 수 있다는 것을, 자연과 함께하면서 놀라울 정도로 바뀔 수 있다는 걸 알게 되었다. 지금쯤 20대 후반이 되었을 진우와의 만남은 나로선 가장 인상 깊었던 경험이다. 마흔 살을 앞두고 떠올린 이 장면으로 인해 인생 후반기를 청소년, 어린이와 함께 활동하며 살겠다고 결심했다. 그렇게 씨앗은 싹이 텄다.

청소년활동을 하겠다고 마음을 먹고 나서 얼마 후 평소 잘 알고 지내던 대안학교에서 교사를 채용한다는 소식을 접했다. 교장 선생님을 비롯한 교사들과도 잘 알고 지냈고, 일부 학부모들 그리고 학생들과도 안면이 있었으며, 게다가 교사를 채용한다고 알려주신 분도 당연히 내가 뽑힐 거라고 격려해주셨다. 나는 당연히 내가 채용되리라 믿었다. 하지만 아직 자격이 되지 않았나 보다. 면접을 보고 나서 똑 떨어졌다. 꼭 되고 싶었고 당연히 될 것으로 생각했기에 탈락을 알리는 장문의 문자를 보면서 아득해지듯 하늘이 무너져 내렸다. 암담했다. 한편으론 나 같은 인재를 안 뽑는다며 혼자서 마구 화를 냈다.

다른 대안학교에 서류를 내고 준비하던 중에 묘한 경험을 했다. 어느 어스름한 저녁 무렵에 집으로 돌아가려고 버스를 기다리는데 문득 길 건너편 불이 켜진 미용실에 눈길이 갔다. 손님이 하나도 없이 TV를 보고 있는 남자 미용사를 보는데, 그 장면이 눈에 딱 들어온 순간 그 사람이 내 마음으로 쏙 들어왔다. '오늘 저 가게에는 손님이 몇 명이나 왔을까?' '임대료와 공과금은 얼마나 될까?' '자녀가 있나? 몇 명이나 있지? 교육비는?' 숱한 생각들이 짧은 순간에 나에게 훅 들어왔다. 나와 일면식도 없고 이야기도 나눠본 적 없는 사람인데 그 사람의 마음이 어떨지 헤아려지는 게 신기했다. '이게 뭐지?' 놀라움과 함께 '나는 대안학교 교사를 왜 하려고 했나?' 하는 질문이 떠올랐다. 그리고 이내 그 답을 찾았다. 마트의 수산 코너에서 장화 신고 앞치마 두르고 생선을 손질하는 일은 못 하겠다, 공사장 나가서 막일하는 것은 못 하겠다는 거였다. 그런데 대안학교 교사는 좀 그럴싸한 거다. 왠지 주변 사람들에게 인정받을 것 같고, 월급은 적지만 그럴듯해 보이는 직업인 거였다. 직업에 귀천이 없다고 주장하면서 정작 내 안에서는 '해도 괜찮을 일'과 '하면 창피한 일'을 구별하고 있었다는 걸 깨닫게 되자 몹시 수치스럽고 부끄러웠다.

서류를 보냈던 대안학교에서 같이 해보면 좋겠다며 면접을 보자는 연락이 왔는데 정중하게 거절하는 메일을 보내고, 가구 공장에 취직했다. 낮다고 여겨왔던 일을 해보자고 결심하고 1년 반 정도 공장에서 일하면서 청소년지도사 자격증을 취득했다. 이 무렵이었다. 청소년자치연구소 정건희 소장님이 군산에서 청소년 공간 '달그락달그락'을 만들고 활동하는 소식을 메일과 페이스북을 통해 접하면서 청소년들이 자치적으로 활동하는 모습이 좋아 보였다. 궁금하고, 알고 싶었다. 그러던 중에 장수로 내려왔다. 장수에 내려온 이유는 아무 연고 없는 곳에서 청소년활동을 처음부터 차근차근 시작하고 싶어서였다.

PART 04

전환의 순간

나는 1989년에 고등학교에 입학했고, 당시는 전국교직원노동조합(전교조)이 막 설립되던 무렵이었다. 내가 다녔던 고등학교에도 당시 전교조 선생님이 두 분 계셨는데 국어 과목과 세계사 과목이었다. 수업을 재미있게 하셨고 다른 과목 선생님들과는 성품이 달랐다. 두 분 선생님의 해직이 발표되자 700명가량이었던 전교생이 선생님들을 보낼 수 없다며 운동장으로 뛰쳐나갔다. 그때 나는 상위권 그룹의 몇몇 학생들과 함께 교실에 남아 있었다. 속으로 생각했다. '에이, 바보 같은 놈들, 이번 기회에 등수나 올려야겠다.' 그 이후로 학급 친구들에게 의리 없는 놈이라는 낙인이 찍혔다.

당시에는 몰랐지만, 이 행동이 부끄러운 행동이었음을 자각하게 된 계기가 있었다. 한 번은 나름의 노력으로 제법 상위권에 이르렀던 고등학교 3학년 때 체육대학을 지망하던 친구의 개인교습을 하면서였다. 알고 보니 그 친구는 고등학생 운동권이었다. 나는 공부를 도와주었고, 그는 나에게 사상을 전해주었다. 또 한 번은 대학에 가서 선배들이 몰래 보여주었던 '닫힌 교문을 열며'라는 영화를 보고 펑펑 울고 나서였다. 대학에 가면 절대 데모 같은 건 하지 말라던 부모님 말씀대로 살고자 했지만, 철거민들과 농민들을 만나면서 사회의 부조리에 눈뜨기 시작했다.

1990년대 사회주의가 무너지는 충격적인 현실을 목격하면서 노동운동을 지향하던 대학가에서 협동조합 운동, 생활문화 운동 등 시민사회 영역에 관한 관심이 높아졌다. 그 무렵 대학가에 돌아다니던 책이 있었는데 『몬드라곤에서 배우자』라는 제목의 두껍게 제본된 책이었다. 치열한 내전으로 피폐해질 대로 피폐해진 스페인의 몬드라곤이라는 작은 마을에 부임했던 스물다섯 젊은 사제 호세 마리아 신부는 갈등과 가난으로 공동체가 파괴된 그곳에서 지역민들과 함께 평생을 바쳐 협동조합을 일구었다.

그 책을 읽으며 협동조합이야말로 미래의 희망이라고 생각했다. 협동조합, 공동체, 이런 그림들이 가슴속을 채우던 차에 원주 한살림운동의 정신적 지주였던 장일순 선생님의 『나락 한 알 속의 우주』라는 책을 만나게 되었다. 쌀 한 톨 속에 우주가 담겨 있다는 생각 자체가 놀라웠다. 제목부터 눈길을 잡아끌었던 선생님의 말씀들은 정말 주옥같았다. 단숨에 읽어 내려갔고, 읽는 내내 심장이 두근거렸다. 유기농, 무농약이 당연히 좋은 것인 줄은 알고 있었다.

그런데 장일순 선생님은 더 나아가서 한살림협동조합이, 무농약이, 남이야 어떻게 되든 말든 자신과 가족만을 위한 것이어서는 안 된다고 일갈했다. 태양이 없으면, 공기가 없으면, 땅이 없으면 우리가 존재하지 못하듯이 일체 만물이, 인간 모두가 연결되어 있기 때문이라고 했다. 술 한잔 드시고 집으로 걸어 들어가시며 발밑에 밟히는 잡초에 대해 부끄러워하는 모습이, 그런 것들을 드러내는 것이 나에게는 신선한 충격이었다. 협동조합 공동체를 상상하며 설레었고 막연하게나마 세상에 이바지하는 활동가를 동경했다.

시민단체에서 일을 시작했지만 돌이켜보면 사명감이나

소명 의식으로 시작한 건 아니었다. 대학을 졸업할 당시는 IMF 구제금융 상황이었고 다들 취업이 어려운 시절이었다. 몇 달을 매일 친구들과 술로 지새웠다. 술 사 먹을 돈은 어디서 났는지 모르겠다. 그러다가 사달이 났다. A형 간염이라고 했다. 간 수치가 1,500까지 올라갔다. 아버지가 계신 시골에서 반년 넘게 요양했다. 석산을 개발하던 사업이 망하자 아버지는 어머니와 이혼하곤 도망치듯 시골로 내려가서 포도 농사를 짓고 계셨다. 몸이 어느 정도 낫게 되자 아버지는 농사일을 거들라고 했다. 병이 나을 때까지 돌봐주셨으니 당연한 도리라고 생각했다. 한 번도 해보지 않았던 농사일은 숨이 턱턱 막혔다. 그보다도 말벗과 친구가 없는 게 더 힘들었다. 외롭고 막막했다. 그때 YMCA에서 일하던 친구로부터 연락이 왔다. 실무 간사를 뽑는데 내 생각이 났다며 일해 볼 생각이 있냐고 물었다. 생각할 것도 없이 그러겠다고 답했다. 힘들고 외로운 시골 생활에서 벗어날 유일한 기회라고 생각했다. 그렇게 활동가로서 삶이 시작되었다.

삶이라는 게 뜻대로만 되는 게 아닌지라 하고 싶은 것만 할 수는 없었다. 생협 운동이 보람되고 즐거웠지만, 나에게는 생활재(유기농 채소 등 물품을 이르는 말)를 공급(배

달)하는 탑차 운행 등 보조업무가 주어졌다. 나의 주 업무는 환경운동이었고 그중에서 반딧불이 지킴이 활동 비중이 높았다. 서식 환경 조사를 위해 반딧불이를 표본 채집해서 표식을 해야 했는데 새벽 1~2시까지 이어졌다. 그 외에 제안서 작성, 회원모집, 사회교육 프로그램, 아기 스포츠단(유치원) 차량 운행, 포럼, 시민사회 연대활동 등 여러 일도 병행해야 했다.

YMCA에 들어가서 처음 한 것도 제안서 작성이었다. 제안서를 잘 작성하는 것과 선정되는 것이 능력으로 인정받았다. 회원모집(모금)이 가장 힘들었다. 보험회사에서 실적 그래프를 그려놓고 목표 달성을 하는 것 같은 느낌이었다. 친지와 친구들에게 손을 벌려야 했고 마치 구걸하는 것만 같았다. 준비되지 않은 채로 중간관리자 역할이 맡겨졌다. 나의 주관적인 생각으론 중간관리자는 잔소리와 싫은 소리를 하는 위치였다. 필요한 역할이었으리라. 하지만 나는 악역을 맡기 싫었다. 점점 소진되는 느낌이 3년 주기로 찾아왔다. 3년마다 일을 계속할지, 그만둘지 고민에 빠져 허우적댔다. 그러면서도 나에게 잘 맞는 일이 무엇인지는 도무지 알 수가 없었다. 아! 딱 하나, 내가 잘하는 게 있었다. 회피였다. 9년이 채워지던 해 12

월에 YMCA를 그만두었다. 그리고 4년간 이곳저곳을 떠돌며 방황했다. 그때 만났던 사람들과 경험했던 순간들로 인해, '해야 하는 일'로 소진되었던 나에게 변화가 찾아왔다.

PART 05

인생길에 만난 사람들

4년 동안 떠돌면서 내가 만난 사람 중엔 스님, 밀랍 초를 만드는 귀화 독일인과 한국인 부부, 수의 짓는 할머니, 우렁이 농장주인, 김 공장 일꾼들, 마음수련원에서 만난 사람들, 동네 할머니, 귀농한 형님들, '나는 자연인이다'에 나올 법한 도사님, 소 키우는 동갑내기 등 다양한 이들이 있었다.

2010년, 나는 오갈 데가 없었다. 막상 남양주YMCA를 그만두고 나니 앞으로 뭘 해야 할지, 어떻게 살아야 할지 막막했다. 지인의 소개로 지리산 자락의 노스님께 잠시 의탁하기로 했다. 황매암(지금은 이름이 바뀌었다)이라는 고즈넉하고 아름다운 절이었다. 스님은 조계종에서 그림으로 유명했다. 스님을 뵈러 간 첫날, 대뜸 여기서 살아도 되겠냐고 여쭈었다. 스님은 말없이 내 눈을 쳐다보기만 하셨다. 스님의 미간에 힘이 느껴졌다. 그러라고 고개를 끄덕이셨지만 '살아볼 수 있으면 어디 한번 살아 봐라'라고 말씀하는 것 같았다.

절에서 먹고 자고 일하는 동안 스님은 나에게 묻지도 따지지도 않으셨다. 절 생활은 새벽에 시작된다. 새벽 3시쯤 예불로 아침을 여는데 스님은 나에게 예불에 참석하라는 말씀을 일절 하지 않으셨다. 내가 기독교인이라고 밝혀서이기도 하겠지만 종교를 구별하지 않으셨다. 불교가 삼국시대부터 고려를 거쳐 흥성했으니 지금은 기독교가 흥성해도 되지 않느냐는 논리를 펴시기도 했다. 기독교인이 절에 들어가서 사는 게 참 기묘했지만, 누구도 나를 배척하지 않았다.

일 년 반 동안 함께 살았던 스님과 헤어지면서 그동안의 감사함에 가슴이 먹먹했다.

"이 은혜를 어떻게 갚아야 할지 모르겠습니다, 스님. 그동안 거둬주셔서 감사했습니다. 은혜는 꼭 갚겠습니다."

스님은 대수롭지 않게 한마디 툭 던졌다.

"이놈아, 고마우면 나한테 갚지 말고 세상에 갚아라."

당신이 아닌 다른 사람에게 갚으라는 말씀이 지금까지도 귓가에 맴돈다. '내 것'이 중요했던 마음속에 파문이 일었다. 이 일화가 나에게 중요한 이유가 있다. 나에게 베풀어주신 은혜를 스님께 갚았다면 그건 스님과 나의 관계에서 끝나고 만다. 그런데 스님께 받은 은혜를 다른 사람에게 갚는다면 관계는 확장된다. 누군가 또 다른 누군가에게 베푸는 선순환으로 확대 재생산되면 세상이 아름다워지지 않겠는가! 청소년들에게도 이 일화를 자주 들려준다. 그리고 청소년들에게 지원하고 후원하는 기관이나 단체, 개인에 대해서도 일러준다. 청소년들이 자라서 자기 삶을 책임질 위치가 되었을 때 자신들이 받은 은혜를 또 다른 누군가에게 전해주기를 바라는 마음에서다.

스님과 함께 살게 된 지 석 달쯤 되었을 무렵 어느 날 아침 스님이 뜬금없이 당신의 어릴 적 이야기를 꺼내셨다. 동자승이 되기 위해 해인사로 가던 중 깜깜한 밤중에 산짐승을 만나 나무꼭대기 위에서 밤을 새웠던 일, 밀랍을 녹이고 걸러 초를 만들었던 일 등 어릴 적에 겪었던 온갖 고초를 이야기하시던 중 마지막 말씀이 담양 어딘가에 밀랍을 녹여 초를 만드는 곳이 있다고 하니 한번 알아보라는 것이었다. 눈치가 없던 나는 스님께서 초에 관심이 있으신가, 법당에 쓸 초를 직접 만드시려고 하시나 생각할 뿐이었다. 그런데 알고 보니 나를 위한 배려였다. 오갈 데 없이 의탁해있는 내가 딱해 보이셨나 보다. 초 만드는 기술이라도 배워서 밥벌이라도 하라는 뜻이었던 게다. 여기저기 알아보니 담양에 있다는 그곳은 빈도림꿀초였다. 기술을 배워 밥벌이하라는 의중이 탐탁지 않았지만, 스님과 함께 무작정 담양으로 찾아갔다. 사모님이 맞아주셨는데 가르쳐줄 수는 없다며 단박에 거절했다. 그도 그럴 것이 초 만드는 법을 배워 사업을 시작하게 되면 경쟁자가 될 게 뻔하지 않겠는가! 인자한 스님 덕분에 가까스로 초 만드는 법을 배울 수 있게 되었다.

빈도림은 귀화한 독일인으로 '손님 빈賓'을 성으로 삼았다. 자신이 담양 빈 씨의 시조라며 좋아하시던 모습이 선하다. 당신은 선생님보다 박사님으로 불리길 더 좋아했다. 빈도림 박사님은 독일에서 고등학생일 때 우연히 조선의 풍경이 담긴 옛 사진을 보게 되었는데 그 사진 한

장에 깊은 인상을 받아 결국 한국까지 왔다고 했다. 빈도림 박사님은 유쾌하고 아내를 사랑하는 멋진 사람이었다.

여름이면 박사님네 부부는 수영을 즐기셨다. 박사님 댁 근처에 커다란 저수지가 있는데 길가에선 잘 보이지 않아서 현지인이 아니고선 저수지가 있는지조차 알기 어려웠다. 아스팔트로 포장된 큰길에서 울퉁불퉁한 샛길로 빠져서 모퉁이를 돌면 영화에서나 보던 풍경이 펼쳐진다. 면적을 가늠할 수 없을 정도로 드넓은 저수지였다. 물은 맑고 잔잔했지만, 한편으론 두려움이 느껴질 정도로 깊어 보였다. 수영할 줄 몰랐던 나는 그저 물가에 서 있기만 했고, 빈도림 박사님은 물 위에 누운 채로 둥둥 떠 있었다. 심지어 깍지 낀 양손으로 머리를 감싸고 다리를 꼰 채로. 그 모습이 귀엽기도 하고 신기하기도 했다. 그 모습을 바라보고 있던 나에게 사모님이 겨드랑이에 끼우는 작은 부레를 건네주시며 물에 들어가 보라고 권하셨다. 부레는 정말 작았다. 이렇게 작은 걸로 물에 뜰 수 있을까 의구심이 들어 망설이고 있는데 "괜찮아, 물속에서 팔 벌리고 가만히 있으면 돼. 원래 사람은 물에 가라앉는 게 더 힘들다"라며 박사님이 껄껄껄 웃으며 격려해주셨다. 미심쩍었지만 용기를 내보기로 했다. 박사님과 사모님이 양옆에서 손을 잡아주셨고, 말해주신 대로 물에 들어가 팔을 벌리고 수직으로 서보았다. 정확히 턱 바로 위부터 물에 떠 있는 게 아닌가! 몸의 대부분이 물속에 잠겨있었지만 고요하게 떠 있게 되자 자신감이 생겼다. 몇 번의 시도 끝에 겨드랑이에 끼운 부레를 떼고도 물 위에 뜰 수 있었다. 고작 하루 만이었다. 하루 만에 물에 뜨는 데 성공했다. 나는 '물에 뜨는 것'을 배움과 동시에 더 중요한 '일단 시도해볼 것'을 배웠다. 두려움에 시도하지 않았더라면 나는 지금도 물에 뜰 수 없었을 것이다. 더불어 나를 잡아주는 사람이 있고 지지해주는 사람이 있다면 뭐든지 해볼 수 있다는 것을 빈도림 박사님 부부로부터 배웠다.

담양에서 꿀초를 만들면서 배운 또 한 가지는 문제를 바라보는 방식, 즉 관점이었다. 빈도림 박사님은 도구를 직접 만드는 걸 즐기셨다. 마치 발명가 같았다. 초와 관련해서 이것저것 실험하기를 즐겨 했고 자신의 목공작업장을 뿌듯해했다. 사모님께서 뭔가를 만들어달라고 부탁하셨는데 그게 뜻대로 잘되지 않아서 몇 번이고 실패를 거듭했다. 그런데 박사님의 표정은 시무룩하지 않았다. 오히려 싱글벙글 천진한 소년의 표정이었다. 이유가 궁금해서 여쭤보았다. 박사님의 대답은 내 예상과 달랐다.

"문제는 풀라고 있는 것이다. 이것도 언젠가는 풀릴 것이다. 나는 문제가 생겼을 때 기쁘다. 왜냐하면 문제를 푸는 게 재미있거든."

문제가 해결되어서 새로운 도구가 만들어졌는지는 기억나지 않는다. 하지만 그 순간 박사님의 표정과 태도가 나에게 깊은 인상을 남겼다. 나에게 문제가 생기면 회피하거나 누군가를 탓하며 정작 문제를 제대로 대하지 않았다는 걸 발견했기 때문이다. 박사님을 보면서 나에게 문제가 닥쳐도 피하지 않고 직면하여 해결하는 쪽으로 에너지를 쓰고 싶어졌다. 이때까지만 해도 내 인생에 어떤 변화가 생길지 몰랐다. 근본적인 변화가 생긴 것은 마음을 닦는 수련원에서 생활하면서부터였다.

사물을 보면, 보자마자 그게 뭔지 안다. 나무를 보면 나무라는 이름이 떠오르고 잎사귀를 보면 잎사귀라는 이름이 따라붙는다. 스마트폰을 보면 스마트폰인 줄 안다. 세상의 모든 것에는 이름이 있다. 이름표가 붙어 있기에 소통할 수 있다. 이름이 있지 않다면 일일이 설명하느라 얼마나 많은 에너지를 소모하겠는가!

인간이 사물을 인지하기 위해 거치는 단계가 있다. 시각 혹은 청각 등 오감으로 자극을 받아들이면 자극은 신경회로를 따라 정보화된다. 정보들은 해석되고 분류되어 저장된다. 이 절차는 그야말로 순식간에 일어나기 때문에 알아차리기 어렵다. 똑같은 일상은 없다. 매 순간 다르다.

어제가 다르고 오늘이 다르다. 그런데 똑같다고 믿는다. 관심을 두지 않아서다.

"자세히 보아야 예쁘다."

나태주 시인이 노래한 '풀꽃' 시구절이다. 길을 가다가 만나는 들꽃은 이름도 알고 대강 생김새를 안다. 그저 그런 느낌이다. 이름표가 붙어 있고 이미 알고 있다고 여기기 때문이다. 그러다 문득 쭈그리고 앉아서 들꽃을 들여다보면 '어라?' 하는 순간이 열린다. 관심을 두고 들여다보면 잎이 새롭고 꽃이 새롭게 느껴진다. 그렇게 새로운 관계가 맺어지고 새로운 세계가 열린다. 이미 알고 있다고 여기면서 청소년을 만날 때는 새로운 모습을 발견하기 어렵다. 새로운 관점은 청소년을 만날 때 확장될 수 있었다. 지금부터 하는 이야기는 머리로만 이해하는 게 아니라 가슴으로 수용했던 체험담이다.

'삶의 진실, 백일학교'에서는 이름표를 떼는 훈련을 한다. 쉽지 않다. 이미 내면에 깊게 박혀있는 이미지라서 그렇다. 아무리 낯설게 보려고 해도 이미 익숙하여서 이름표가 잘 떼어지지 않았다. 다른 각도에서 시도해보았다. 익숙하게 붙어 있는 이름이 아닌 전혀 새로운 이름을 붙여보는 것이다. 소나무를 보고 소나무라는 이름 대신 새로운 이름을, 연잎을 보고 연잎이 아닌 새로운 이름을 붙여보는 식이다. '둥글긴 한데 들쑥날쑥한 이 모양에 뭐라고 이름을 붙이지?' '어? 이게 뭐지?' 낯선 느낌이 드는 순간이 있다. 찰나와 같은 짧은 순간 낯설어지는 틈이 생긴다. 이때 사물의 참모습을 보게 된다. 일상도 마찬가지, 감정도 마찬가지, 청소년도 마찬가지다.

이 글을 읽고 있는 독자께도 지금 느끼는 기분에 이미 알고 있는 것 대신 새로운 이름을 붙여보시라고 제안하고 싶다. 가족 중의 누군가 또는 이 순간 떠올려지는 누군가에게 붙어 있는 이름, 괴팍하다거나 친절하다거나 착하다거나 못됐다거나 밉다거나 하는 꼬리표를 떼고 새로운 꼬리표를 붙여보시라!

삶의 진실, 백일학교는 '미내사클럽'이라는 단체에서 운영하고 있다. '미래를 내다보는 사람들'의 약자다. 해외의 최신 영성 관련 소식은 미내사클럽을 통해 국내로 들어온다. 못 믿겠지만 레츠LETS, Local Exchange & Trading System와 같은 지역화폐도 미내사클럽에서 소개하고 실행한 것이다. 경남 함양에 수련원이 있다. 어쩌다 보니 미내사클럽 함양수련원에서 1년 가까이 지내게 되었다. 이곳에서는 '자연에 말 걸기' '통찰력 게임' '깨어있기' '삶의 진실, 백일학교' 등 다양한 프로그램들이 진행되고 있다.

사람의 세포는 끊임없이 생성되고 파괴된다. 한 사람의 피와 세포가 모두 바뀌는 시간은 약 7년 정도다. 그리고 습관이 바뀌는 시간은 약 100일이다. 곰이 쑥과 마늘을 100일 동안 먹고 사람이 되었다는 단군신화나 100일간 기도로 치성을 드린다는 얘기는 선조들이 경험적으로 발견한 것이겠다. 미내사클럽 함양수련원에서 100일간 지내면서 프로그램에 참여하고 마음을 닦는 것이 삶의 진실, 백일학교다.

아침에 일어나면 개를 데리고 산책하고 나서 아침을 먹는다. 일과는 스스로 정하는데 식사를 준비하거나 텃밭을 가꾸거나 수련원의 이곳저곳을 고치거나 새로운 걸 만들기도 한다. 중요한 건 하루 또는 주 단위로 주제를 품고 일과를 하는 것이다. 일종의 화두인 셈이다. 예를 들면 '전적으로 수용하고 그대로 하기' '이유 없이 정성 들이기' '사랑의 손길 느껴보기' '지금, 이 순간 마음이 어디에 머무는지 살펴보기'와 같은 것들이다.

함양에 머문 건 채 1년도 되지 않았지만, 이곳에서 내가 가지고 있던 습성들이 깨져나간 건 분명하다. 사람이 바뀐다는 건 생각이 바뀌고 몸이 바뀌고 행동이 바뀐다는 것이다. 생각만 바뀐다고 해서 사람이 바뀌는 건 아니다. 그래서 사람을 볼 때 그가 하는 말을 곧이곧대로 들어서는 안 된다. 매번 선거철이면 겪지 않던가! 얼마나 많은 정치인이 그럴싸한 달콤한 말로 유권자들을 속이는지 말이다. 사람의 참모습을 보려면 그가 어떤 길을 걸어왔는지 그리고 어떻게 행동하는지를 보면 된다.

이전에 나는 사람에 대한 애정과 존중이 없었다. 그걸 깨달은 게 2000년대 중반쯤이었다. 지금이야 스마트폰에 연락처가 저장되어 있지만 그때까지만 해도 사람들의 연락처를 작은 수첩에 기록해서 가지고 다녔다. 그 수첩에는 약 3백 명 정도가 빽빽하게 적혀있었는데 어느 날 그 수첩에서 사람 이름을 지우고 있는 내 모습을 발견하곤 소스라치게 놀랐다. 지인들, 대학 선후배나 업무로 알게 된 사람 중에 평소 연락이 없거나 연락을 주고받지 않는 사람들의 목록을 지우고 있었다. 연락처를 지우다가 문득

'내가 지금 뭘 하고 있지?' 하는 생각이 퍼뜩 들었던 것인데 사람과 사람의 관계를 그다지 중요치 않게 여기고 있었다는 걸 알아차렸다. 나에게 업무적으로 도움이 되지 않을 사람을 추리고 있는 나를 보며, 사람을 도움이 되고 안 되고를 기준 삼아 도구나 대상처럼 여겼다는 게 마음에 걸렸다. 사람이라는 게 어디 도움이 되어야만 사람인가? 쓸모가 있어야만 사람인가? 쓸모의 기준은 도대체 뭐란 말인가! 나에게 도움이 되지 않는다고 다른 누군가에게 도움이 되지 말란 법은 없지 않은가! 이런저런 질문과 생각들은 구름이 되어 커졌다가 쪼개졌다 흩어지기를 반복하더니 결국 '나란 인간은 매정한 사람이었구나'라는 결론으로 이어졌다.

함양수련원에 머물 때의 일이다. 오전 일과로 잔디밭의 잡초를 뽑기로 했는데 잔디밭으로 가는 길목 풀이 무성해진 걸 보고 그걸 먼저 베어야겠다고 마음먹고 홀로 풀을 베었다. 낫질하고 있는데 잔디밭 쪽에서 하하하 호호호 깔깔깔 웃는 소리가 들리고 즐거운 분위기가 느껴졌다. 문득 마음속에 외떨어져 있는 느낌이 들었다. '스스로 선택해서 낫질하고 있으면서 마음은 저쪽에 머물고 있구나!' 소외되는 느낌은 외부에서 오기도 하고 누군가 따돌리기도 하지만 내면에서 만들어지기도 한다. 소외의 느낌 그 이면에는 연결 욕구가 있다. 사람들과 연결되어 소속되고 싶은 마음. 사람을 함부로 대하는 마음은 소외시키는 마음이다. 존중은 사람과 사람 사이를 연결한다.

이곳엔 세 마리의 개가 있었다. 진돗개인 웅미는 연세 많은 할머니 정도의 나이여서 산책조차 힘들었고, 1년이 채 안 된 태풍이와 1년 조금 넘은 까미는 개성이 강했다. 진돗개 혈통이 섞인 태풍이는 같이 산책하러 나가면 주로 바닥에 코를 박고 내달렸는데 다람쥐와 같은 설치류를 보면 덤벼들었다. 이와 달리 까미는 전체가 까만 색깔로 배가 홀쭉하고 날렵한 사냥개였는데 날아다니는 새만 보면 덤벼들었다. 나는 주로 까미와 산책을 많이 했다. 까미는 호기심이 많았는데 이리저리 방향 없이 기웃거리는 게 나와 닮았다. 아침 산책하면서 자기 가고 싶은 곳으로만 킁킁거리며 가는 까미를 보며 내 안에도 '자아(또는 에고)'라는 천방지축 검둥개가 한 마리 있음을 알았다. 줄을 짧게 잡았다가 늘어뜨렸다가 하면서 까미와 익숙해지는 것처럼, 내 안의 검둥개인 '에고ego'도 마음에 걸림이나 부딪힘이 생길 때마다 잡아챈다.

바람이 많이 불었던 그날도 아침 일찌감치 까미, 태풍이와 함께 산책을 나섰다. 까미의 목줄을 산책용 개줄로 먼저 옮기고 태풍이의 목줄에 산책용 개줄을 거는데 (아마도 신이 나서) 까미가 껑충껑충 뛰면서 방해한다. 순간 짜증이 벌컥 올라왔다. "이 녀석, 얌전히 있지 못해!" 하고 꿀밤을 먹인다. 그래도 녀석은 좋다고 널뛴다. 으이그~ 헛웃음이 나고 만다. 산책을 나서는데 두 마리의 줄이 엉킬 적마다 불쑥불쑥 내 마음도 엉켰다. 까미와 태풍이는 자신들에 의해 줄이 엉키는지 알지 못할 것이고, 줄이 엉킬 적마다 불편한 것은 자기들일 것이다. 줄이 엉키지 않게 나란히 이끌려 할수록 더 힘들어지고 더 많은 에너지를 쓰게 된다. 줄이 엉킬 적마다 손잡이를 바꿔 줄을 푸는 쪽이 훨씬 수월하다. 에고를 강화하는 쪽으로 에너지가 낭비되지 않는다. 까미와 태풍이 덕분에 에고의 작용을 알게 되었다. 스승이신 월인 선생님은 이렇게 설명해 주셨다.

"감정에 빠져 저 사람은 그런 사람이라고 고착화하여 그 생각만 떠올려도 치가 떨리면 돌에 새기는 것과 같다. 명상이나 수

련을 통해 감정의 느낌을 희미하게 하거나 없애는 방식은 물에 새기는 것과 같다. 감정과 함께 깨어있다는 것은 감정을 피하거나 없애지 않고 생생하게 느끼되 거기에 빠지지 않고 사용함으로써 즉각적으로 흔적이 남지 않도록 하므로 공기에 새기는 것과 같다."

태풍이는 에너지가 넘치는 젊은이다. 나를 향해 밝은 표정으로 돌진해온다. 머리와 가슴을 쓰다듬는다. 태풍이를 내려놓자 괜히 까미에게 다가가서 집적거린다. 까미는 귀찮은 듯 상대를 안 해준다. 그럼 태풍이는 월인 선생님이나 나에게 잠시 왔다가 다시 까미에게 다가가 놀자고 집적거린다. 나 같으면 몇 번 집적대다가 상대가 귀찮아 하면 포기할 텐데 태풍이에게 포기란 없다. 태풍이의 표정과 행동에서 순수한 호기심을 발견한다. '아! 태풍이야 말로 매 순간 새로운 것을 발견하는 재주가 있구나!'

호기심을 다른 일상에서도 발견했다. 연못 가운데 석등을 올려놓기 위해 돌을 평평하게 쌓아 받침대를 만들어보기로 했다. 돌들의 모양이 제각각이어서 수평을 맞추기가 어려웠다. 허물고 다시 쌓기를 반복했다. 그러다가 받침 중 세 군데는 잘 맞는데 한 군데가 수평이 맞지 않고 까딱

거린다. '아! 이 한 곳만 맞으면 되는데….' 그 부분만 맞춰 보려 하는데 쉽지 않다. 허물고 다시 쌓을까 하다가 이렇게 맞추기 쉽지 않을 것 같아 망설여진다. 붙잡는 마음이 생긴 것이다. 붙잡는 마음이 알아채진 그 순간 마음속에 미세한 변화가 일어난다. 순수한 호기심으로 전환된 것이다. '다시 멋지게 쌓아보지 뭐.' 호기심은 한 가지 것에 매이지 않는다.

개들에게 밥을 주러 걸어가면서 '이게 일이라고 여겨진다면 지겹게 느껴질까?' 하고 생각해보았다. 내가 밥을 주지 않으면 개들은 무척 배가 고플 것이다. 그러자 이것이 '해야 할 일'이라기보다 돌보고 보살피는 느낌으로 다가왔다. 개들 밥을 주고 나서 잔디밭에 스프링클러로 물을 주면서 마루 위에 걸터앉는다. 잔디밭과 맑은 하늘과 살랑거리는 바람에 흔들리는 나뭇가지들과 잎들 그리고 저 멀리 고속도로를 달리는 차 소리, 공중을 윙윙거리며 나는 날벌레들의 움직임이 내 마음에 와닿는다. 소음도 날벌레들도 걸리적거리지 않는다.

까미나 태풍이 이름 자리에 눈에 밟히는 청소년의 이름을 넣어본다. 까미와 태풍이는 나 자신이면서 내가 만나는 청소년들이기도 하다. 인생길에서 만난 모든 인연으로부터 배웠고 그 배움을 장수에서 실현하고 있다.

2장

우주에 하나뿐인 존재

PART 01

보이지 않는 것에 주목하기

지금 주변의 아무 물건이나 집어서 어딘가에 부딪혀보시라. 혹은 양손을 부딪쳐서 손뼉을 쳐보시라. 어떤 소리가 날 것이다.

"이 소리는 무게가 몇 그램이나 나갈까?"

이 질문은 내가 서클대화 방식으로 어린이와 청소년을 처음 만날 때 던지곤 한다. 소리는 무게를 잴 수 없다. 엄밀하게는 소리의 무게를 잴 수 있는 측량 도구가 없다고나 할까? 내가 아는 한은 그렇다. 이 질문에 아주 드물게 누군가 "0그램"이라고 작은 목소리로 말하면서 고개를 갸

웃거리기도 하지만 대부분은 "30그램이요" "5그램이요" "1킬로그램이요"라며 대답한다.

질문으로 여는 이유가 있다. 질문은 참여하게 한다. 이미 한 마디라도 내뱉은 사람은 활동에 한 발 더 들어와 있는 셈이다. 내가 이 질문을 종종 사용하는 더 큰 이유가 있다. 눈에 보이지 않는 것에 주목하게 하기 위해서다. 소리는 눈에 보이지 않고 무게를 잴 수 없지만 존재한다는 걸 우리는 안다.

"그렇다면 눈에 보이지 않고 무게를 잴 수 없지만, 우리가 알고 있는 게 소리 말고 또 뭐가 있을까?"

이어지는 두 번째 질문에 신기하게도 어린이와 청소년들은 우정, 관계, 마음, 감정이라고 대답한다. 원하는 답이다. 드물게 원하는 답이 나오지 않을 때도 있다. 그러면 내가 대답해주기도 하지만 될 수 있으면 어린이와 청소년들이 말하도록 인내심을 가지고 기다린다.

소리는 무게를 잴 수 없지만, 무게감이 있다. 또 작은 소리, 큰 소리, 찢어지는 소리, 울려 퍼지는 소리 등 모양과 형태도 다양하다. 우리가 주고받는 말도 일종의 소리다. 하루 동안 나에게 어떤 소리가 들렸는지 떠올려보면 정말 다양하다는 걸 알 수 있다. 어떤 소리(또는 말)는 기분이 좋아지게 하거나 감동을 준다. 다른 어떤 소리에는 기분이 나빠지고 우울해지거나 화가 나기도 한다. 눈에 보이지 않지만, 마음을 움직이게 하는 말소리가 우리에게 주는 영향력은 무시할 수 없는 수준이다. 격려와 지지의 말을 들으면 마음이 가벼워지고 기분이 좋아진다. 지적받거나 무시당하거나 비난하는 말을 들으면 마음이 무거워지고 기분이 나빠진다. 비교하는 말을 들으면 우울해진다. 소리는 소리일 뿐이라며 한 귀로 듣고 한 귀로 흘릴 수도 있지만 어디 그게 쉬운 일인가! 내가 내뱉은 말소리가 듣는 사람에게 어떤 영향을 주는지 아는 건 정말 중요하다.

최근에 화상 모임에서 겪은 일이다. 화상 모임은 서로의 정서가 오고 가기 어렵다는 통념이 있다. 여건상 화상 모임을 하더라도 정서를 나누고 싶었다. 소그룹으로 나뉘어 회의할 때 6명쯤 되는 구성원들에게 지금 마음의 날씨를 숫자 1부터 10까지 골라보라고 했다. 그중에서 2점을 준 사람이 몇 있었다. 우울하고 슬퍼서라고 했다. 그래서 제안했다. '○○○님 힘내요!' 이렇게 격려해주자고. 모두가 한목소리로 힘내라고 격려했다. 화면상으로였지만 서로 교감이 이루어지는 느낌이 감지되었다. 정작 나누어야 할 이야기가 잘된 건 덤이다. 이렇게 소리는 눈에 보이지 않지만, 진심을 담은 말에는 힘이 있고 서로 영향을 주고받는다. 그러니 우리가 내뱉는 말의 수준과 질이 얼마나 중요한가!

인간이 눈으로 볼 수 있는 범위는 약 200°라고 한다. 이에 비해 개는 약 250°, 새는 약 300°, 소는 약 330°, 토끼는 무려 355°에 달한다. 생존을 위한 진화의 결과이리라. 그런데 또 하나 차이가 있다. 눈은 두 개니까 한쪽 눈으로 보는 범위가 겹치는 중복구간이 있다. 토끼의 경우 중복구간은 10° 정도에 불과한데 사람은 무려 110°에 이른다. 중복구간은 또렷하게 볼 수 있다는 뜻이다. 인간의 눈은 앞만 보게 진화되었는데 안전과 생존을 위해서라면 뒤쪽까지 볼 수 있어야 했지만, 인간에게는 특별한, 놓칠 수 없는 게 있었다. 그건 눈에 보이지 않는 것까지 볼 수 있는 특수한 능력이다. 원기둥 뒤에 육면체가 있다고 가정해보자. 원기둥에 가려 눈에 직접 보이지 않는 육면체의 부분이 있다. 하지만 우리는 보이지 않는 부분이 어떤 모양일지 경험적으로 안다. 바로 이 점이 동물과 인간의 차이다. 우리는 별것 아니라고 여기겠지만 동물의 처지에서는 초능력에 가까운 것이다. 보이지 않는 것을 꿰뚫어 보다니, 이 얼마나 놀라운 능력인가![3]

어린이와 청소년들이 좋아하는 활동 중에 이런 것이 있다. '초능력 놀이'라고 이름 붙인 건데, 비슷하게 생긴 여러 돌멩이 중 하나에 표시해놓고 눈을 가린 채 촉감만으로 표시한 돌멩이를 알아맞히는 거다. 먼저, 표시된 돌멩이를 촉감으로 충분히 느끼게 한다. 그러고 나서 다른 돌멩이들을 차례로 만져보게 한다. 그렇게 몇 개의 돌멩이를 만져보다가 맨 처음의 돌멩이를 찾아내야 한다. 대체로 잘 찾아낸다. 돌멩이나 물건이 없을 땐 손으로 하기도 한다. 술래를 정하고 눈을 가린 채 한 사람의 손을 충분히 만져보게 해서 잘 기억하게 한 다음 차례로 여러 사람의 손을 만져보면서 처음 사람의 손을 찾아내도록 한다. 우리는 시각적인 감각과 자극에 지나치게 노출되어 있어서 그 외의 감각을 충분히 사용하지 못한다. 시각을 차단하

3 마크 챈기지, 2012, 『우리 눈은 왜 앞을 향해 있을까?』, 뜨인돌출판사.

면 불안해지지만, 오히려 그로 인해 상대에 대한 신뢰가 커지기도 한다.

회복적 생활교육을 하면서 나에게 무척 힘들었던 기억으로 자리 잡은 어린이들이 있다. 영태, 영석, 영일, 영도. 첫 시간부터 하기 싫다고 하면서 삐딱하게 행동하였다. 아무리 어르고 달래도 소용없었다. '이래도 포기 안 할 거야?'라고 말하는 것 같았다. 둥글게 앉아 돌아가며 이야기할 때 옆 사람에게 전달할 토킹 피스를 던진다거나, 누군가 이야기할 때 가만히 들어주기로 했음에도 토를 달고 반박하기 일쑤였다. 게다가 자기들끼리 속닥거리고 장난치면서 전체 분위기를 흐리고, 주의를 환기하면 눈을 흘기고 나가버리겠다고 협박하곤 했다. 더 심한 것은 한 아이를 집단으로 따돌렸다는 점이다. 총 16회기로 약속했는데 절반 이상 진행할 때까지도 방법이 떠오르지 않았다. 도대체 학교에서 어떻게 가르쳤길래 이러는 건지, 또 집에서는 부모들이 가정교육을 어떻게 했길래 이러는 건지 분통이 터졌다. 어느 날은 분위기를 잡고 이렇게 말했다.

"나는 평화 수업 진행자이지만 천사가 되기도 하고 악마가 되기도 합니다. 여러분이 장난치고 분위기를 흐리면 나는 악마가 될 수밖에 없어요. 악마처럼 소리 지르고 야단치게 될 거예요."

특히 무리에서 영향력 있는 영태를 노려보며 단호하게 말했다. 신기한 건, 오른쪽 옆에 앉아 있던 영석이가 내가 말하기도 전에 날 보고 화가 난 것 같다고 이야기해 준 것이었다. 분위기는 경직되었고, 영태는 조용하게 더욱 딴지를 걸거나 더 비협조적으로 행동했다. 말은 어린이들에게 전혀 효과가 없는 종이 협박이었다. 말을 하고 나자마자 후회했지만 이미 엎질러진 물이었다.

분위기가 전환된 것은 초능력 놀이를 하면서부터였다. 우연히도 영태가 술래가 되었다. 눈을 가리고 손을 찾아야 할 때, 이들 무리가 따돌리는 어린이의 손을 잡게 되었다. 비협조적이었고 내내 딴지를 걸던 영태가 이 순간만큼은 누구보다 진지해 보였다. 여러 사람의 손을 비교해 보더니 결국 손을 제대로 찾아냈다. 영태가 안대를 벗고 확인하는 순간을 자세히 관찰했다. 평소라면 화를 내거나 짜증을 낼 터였기 때문이다. 조마조마한 마음으로 그 순간을 살폈는데 안대를 벗고 확인한 영태는 상대에 대해 아무런 반응을 하지 않았다. 손을 제대로 맞혔다는 사실로 해서 성취해낸 자신에게 뿌듯함이 더 큰 덕분인 것 같았다. 이후로도 영태는 눈을 가리고 하는 놀이에서 활약하는 모습을 보였다.

이날 나는 두 가지를 후회했다. 어린이에게 함부로 말한 것과 부모와 교사, 어린이를 탓한 것이었다. 남을 탓하는 건 늘 택하는 쉬운 방법이지만 누군가를 탓한다고 해서 그 상황이 달라지지는 않는다. 전혀 효과가 없지만, 우리가 가장 많이 사용하는 방법이다. 인간은 보고 배운다. 부모에게 배우고 교사에게 배우고 또래에게 배운다. 영태와 영석이와 영일이와 영도가 누군가의 말을 있는 그대로 들어주지 않고 반박하거나 놀리는 건 그런 걸 배웠기 때문일 것이다. 그런 문화에서 성장했기 때문일 것이다. 그렇다고 그 문화와 양육자를 탓하는 건 문제해결에 전혀 도움이 되지 않는다.

내가 그날 깨달은 한 가지는 바로 이것이었다. 누군가를 탓할 게 아니라 새로운 문화를 경험시켜주면 된다는 것! 이것이었다. 영태는 집에서, 또 학교에서 얼마나 지지받았을까? 지지받은 것의 총량과 야단맞거나 지적당하는 것의 총량을 비교하면 얼마나 차이가 날까? 아마 영태가 하는 말과 행동이 그 차이를 보여줄 것이다. 그렇다면 영태의 내면에 지지와 격려를 받는 양을 더 채워줄 필요가 있다. 억지로 가짜 칭찬으로 채워주어서는 안 된다. 그건 기가 막히게 알아차린다. 대개 어른들은 영태와 같은 어린이를 눈에 보이는 것만으로 판단하고 평가한다. '말썽꾸러기' '골칫덩이'와 같은 꼬리표가 붙으면 그 아이는 계속 그렇게 자랄 것이다. 눈에 보이지 않는 것을 찾아야 한다. 내가 어린이와 청소년을 만나는 이유가 바로 이것이다. 내면을 지지와 격려로 채워주는 것! 그리고 자기 가치를 발견하도록 안내하는 것!

눈에 보이지 않는 것에 주목하는 건 청소년활동에서도 확인할 수 있었다. 코로나19 상황이 한창 심각해서 대면 활동이 어려워지자 나는 한가지 꾀를 내었다. 질문 카드를 우편으로 보내주고 답을 받는 비대면 방식의 활동이었다. '이게 과연 될까?' '청소년들이 이걸 할까?' '망하는 거 아닐까?' 뭐 이런저런 생각들이 날아다녔지만 '망하면 어때? 해보는 거지!' 이렇게 마음먹고 시작한 활동이 '질문꾸러미'였다. 10장의 질문 카드와 기록지, 수제 볼펜, 일회용 카메라 등을 검정 상자에 담았다. 청소년들이 이걸 받았을 때 대접받는 느낌이었으면 좋겠다는 생각으로 심혈을 기울여 기획하고 준비했다. 상자도 몇 날 며칠 검색해 고급스러운 걸 찾았고, 수제 볼펜엔 참여자가 원하는 문구를 새겨주었다. 일회용 카메라를 담은 건 인화할 때까지 행복한 기다림을 경험했으면 하는 마음 때문이었지만 의도대로 되지는 않았다. 핸드폰으로도 충분히 사진을 찍을 수 있었고, 일회용이라 친환경적이지 않았기에 두고두고 후회되었다. 질문 카드와 기록지의 디자인에도 신경을 많이 썼다. 어찌나 수정 작업을 많이 했던지, 인쇄를 맡은 기획사에서 볼멘소리를 할 정도였다.

이렇게 준비한 질문꾸러미의 반응은 기대 이상이었다. 참여한 청소년들이 주말 동안 깊은 고민을 한 흔적이 곳곳에 보였다. 방식은 이렇다. 청소년들은 10주간 매주 한 가지 질문에 대해 사유한다. 기록지에 적고 나서 그 느낌과 마음을 담은 사진을 일회용 카메라로 촬영하고, 기록지와 사진을 활동가에게 보낸다. 활동가의 역할은 이를 확인하고 기록물을 거두는 것이다. 활동은 주로 주말에 이루어졌다. 금요일 저녁에 안내 문자를 보내고 토요일과 일요일에 받는 식이었다. 이 대목에서 활동가가 얼마나 마음을 내서 하는가가 중요했다. 빚쟁이처럼 독촉해서는 안 되었다. 이 활동이 청소년들에게 줄 의미를 생각하며 도와주고 싶은 마음으로 임했다.

영훈이라는 청소년이 생각난다. 영훈이는 평소 독특한 사고를 하는 편으로 친구들로부터 4차원이라는 소리를 듣곤 했다. "더 나은 나, 더 나은 세상을 위해 살아가면서 꼭 배워야 할 것이 있다면 무엇이라고 생각하나요?"라는 질문에 영훈이는 5만 원권 여러 장이 담긴 사진과 함께 돈 버는 방법을 배우고 싶다고 답장을 보내왔다. '청소년들도 이렇게 돈, 돈, 돈 하는구나. 돈만 좋아하는구나. 세상이 어떻게 되려는지…. 쯧쯧쯧' 짜증이 일렁이려는 찰나, 눈에 보이는 모습만 보고 영훈이를 판단하고 평가하고 있다는 걸 알아차렸다. 아차 싶었다. 고개를 저으며 마음을 고쳐먹고 다시 문자를 보냈다.

"돈을 많이 벌고 싶구나. 돈을 많이 벌어서 뭘 하고 싶어?"

답장은 그날 오지 않았다. 청소년들에게 문자로 연락한 후 답장이 바로 오기를 기대해서는 안 된다는 걸 오랜 시간이 걸려 깨달은 터라 기다렸고, 이튿날 영훈이에게서 문자가 왔다.

"저는 돈을 많이 벌어서 가난한 학생들이 배울 수 있도록 돕고 싶어요!"

예상하지 못한 대답에 나는 깜짝 놀랐고 부끄러웠다. 내 눈에 보인 것은 돈을 좋아하는 영훈이였고, 내 눈에 보이지 않았던 건 가난한 학생들을 돕고 싶은 영훈이의 마음이었다. 어떤 게 영훈이의 진짜 모습이었을까?

눈에 보이는 건 어쩌면 진짜가 아닌지도 모른다. 그런데도 눈에 보이고 귀에 들리는 말꼬리를 붙잡고 늘어지며 얼마나 소모적으로 다투는가!

PART 02

회복적 산골을 꿈꾼다!

책 서두에 소개했던 일화에 등장한 조 선생님은 13년차 초등학교 교사다. '비폭력 대화' 연습 모임에서 처음 인연을 맺었다. 비폭력 대화 연습 모임은 교사들로 구성된 모임으로, 2주에 한 번씩 모여서 책을 읽고 비폭력 대화를 연습했다. 회복적 생활교육도 비폭력 대화를 기반으로 한다. 조 선생님은 회복적 생활교육을 학급에서 적용해서 운영해보고 싶어 했다. 그러던 차에 나를 만나게 되었고 지금은 함께 회복적 산골을 꿈꾸고 있다.

조 선생님은 나에게 회복적 생활교육을 의뢰하면서 2가지를 요청했다. 5학년 학급의 담임선생님과 학생들 사이의 관계 형성 그리고 조 선생님이 담임을 맡은 학급 아이들 사이의 관계 회복이었다. 5학년 담임선생님이 학생들을 정말 아끼고 좋아하시지만 엄격한 면이 있어서 학생들이 선생님을 무서워하는 경향이 있는데 정작 선생님은 학생들이 자신을 무서워한다는 걸 모르시는 것 같다고 했다. 그리고 학급 안에 늘 조 선생님의 눈에 밟히는 아이가 있는데 자신이 하는 행동이 친구에게 어떤 영향을 끼치는지 알려주고 싶다고 했다.

장수군은 산골지역이고 인구가 줄어들고 있어서 전교생이 30명 남짓인 작은 학교가 여럿 있다. 유치원부터 중학교까지 같은 학급에서 만나야 한다. 다툼이 생겨 사이가 틀어지면 다른 친구 관계를 만들기가 어렵고 앙금이 오랫동안 남는다. 소외감을 느끼지 않으려고 몇 명 안 되는 곳에서 어떻게든 인간관계를 맺으려고 발버둥을 친다. 그러다 보면 힘의 불균형이 생긴다. 때로는 또래 아이의 말이 교사의 말보다 훨씬 더 잘 먹힌다.

"교사로서는 편하죠. 하지만 겉으로 보이는 모습 이면에, 학생들이 좋아서 따른다기보다 무서워서 따른다는 게 느껴졌어요. 게다가 그 학생이 힘을 발휘해서 늘 소외되는 학생이 있었어요."

조 선생님은 잠시 숨을 고르더니 다시 말을 이었다.

"사실, 담임을 맡으면서 두려웠어요. 4년 전에 만났던 학생이 지금처럼 딱 그랬거든요. 그때 학교폭력 사건으로 불거졌고, 학생들만이 아니라 학부모들 싸움으로 번졌고, 저는 중간에 껴서 이러지도 저러지도 못했던 경험을 했기에 걱정이 컸죠. 결국 그 학생은 더 큰 학교폭력에 연루되었고, 그때 제가 잡아주지 못했다는 자책에 시달렸어요. 그때 제가 회복적 생활교육을 알았더라면…. 이번에는 반복하고 싶지 않았어요."

회복적 생활교육이 만능열쇠는 아니겠지만 학교폭력이 일어나고 경찰서까지 가서 처분받기 전에 예방할 수 있음을 믿는다. 학교폭력을 심의하는 기구가 있다. 장수에서는 학교폭력으로 심의되는 경우가 적다. 분명 상처를 받은 사람과 상처를 준 사람이 있지만 학교폭력 사안이 아니므로 흐지부지되고 만다. 하지만 학교폭력 사안까지는 아니더라도 마음에 받은 상처는 회복해야 하지 않을까? 그런 모호한 사건들에 회복적 생활교육이 더욱 필요하겠다는 생각이 들었다.

조 선생님의 요청으로 시작한 회복적 생활교육을 미진

하게 마쳐서 마음이 계속 불편했었다. 그런데 몇 달 후에 서클에 힘이 있다는 조 선생님의 전화를 받고 깜짝 놀랐다. 그 얘기를 더 듣고 싶었다.

"그동안 비폭력 대화, 회복적 생활교육, 회복적 서클 연수를 받았지만, 막상 학급에서 적용하기는 어려웠어요. 다행인 건 이재명 선생님이 진행하신 프로그램에 저도 협력진행자로 참여하면서 경험을 할 수 있었다는 거예요. 그 경험을 바탕으로 서클대화를 이어가면서 학생들 마음이 조금씩 열렸기 때문에 본격적인 주제로 들어갈 수 있었어요. 5회기 활동이 끝나고 나서도 우정, 왕따, 소외감, 이런 주제로 일주일에 한 번씩 서클대화를 했어요."

그렇게 39차례의 서클이 열렸다. 나에게는 회복적 생활교육을 진행하면서 채워지지 않는 갈증이 있다. 학교는 정해진 학사일정이 있기에 회복적 생활교육은 한 번에 그치거나 많아도 4회기를 넘지 않았다. 만약 조 선생님처럼 매주 서클대화를 한다면 학급 분위기가 얼마나 달라질까? 결국 교사의 의욕과 열망이 중요한 필요조건임을 깨달았다. 우정이나 소외감에 대해 학생들이 어떤 이야기를 들려주었을지 궁금했다.

"'학급에서 나와 친구 사이에 불편함을 느꼈던 적은 언제인지? 편안함을 느꼈을 때는 언제인지? 너무 힘들었을 때는 언제인지?' 이런 얘기를 나누면서 '진정한 우정은 무엇인가?'로 깊어졌어요. '진정한 우정이라는 건 친구가 고쳐야 할 점을 편안하게 이야기해 주는 거다' 이런 대답이 나왔을 때 뿌듯했어요. 그러면서 방관자 역할을 하고 있던 학생들이 깨닫기 시작했어요. 한 학생이 주동해서 누군가를 소외시키자고 했을 때 '안 할 거야' '하기 싫어' '이건 맞지 않아'라는 말을 하더라고요."

단순히 대화만이 아니었다는 느낌에 전율이 일었다. 학급에서 생활하면서 말과 행동으로 이어졌다는 게 놀라웠다.

"매주 금요일마다 도덕 시간에 서클대화를 했어요. 도덕 교과에 '나'를 다루고 '친구'에 대해 탐색하고 '관계'를 형성하는 여러 주제가 있는데 그중에 '우리가 만드는 도덕 수업'이라는 게 있거든요. 도덕 수업이 교과서에 나와 있는 예시문을 읽고 자기 경험을 이야기하고 교훈을 얻고 실천으로 이어지는 과정을 거치는데, 서클대화가 딱 그거에요. 예문이 아니라 실제로 우리가 겪고 있는 문제를 소재로 쓰기 때문에 더 적합했던 거 같아요."

나도 모르게 무릎을 쳤다. 도덕 수업을 회복적 생활교육으로 한다면 어떨까? 아예 회복적 생활교육이 교과과정에 들어가도 좋을 것이다. 그럼 초등학교뿐만 아니라 중학교, 고등학교에서도 지속적인 서클대화가 가능하다. 도덕 교사들을 대상으로 회복적 생활교육 연수를 할 수 있다면…. 점점 꿈에 부풀어 오른다. 조 선생님이 이야기를 이어갔다.

"금요일에 하니까 좋더라고요. 한 주 동안 어떻게 지냈는지, 마음이 어땠는지 정리하는 모임인 거죠. 학생들이 평온해지고 그러면서 서로 진심이 통해요. 학생들에게 1년 동안 서클대화를 해보니까 어땠냐고 물어봤어요. '음식이 목에 걸리면 힘들잖아요. 근데 서클대화 하면서 목에 걸렸던 마음이 쑥 내려간 거 같아요. 전에는 겉으로만 친구였는데 이제는 진짜 친구로 대할 수 있을 거 같아요' '친구들과 오해가 풀리고 친구 마음도 알 수 있고 누군가의 눈치를 보지 않아도 돼요'라고 말하더라고요. 얼마나 뿌듯하던지요."

조 선생님의 눈에서 꿀이 뚝뚝 떨어지는 것 같았다. 얼마나 학생들을 아끼고 사랑하는지 느껴졌다. 얼마나 감동적인가! 목에 걸린 마음이 쑥 내려간 것 같다는 표현이. 겉으로만 친구였는데 이제는 진짜 친구로 대할 수 있다는 마음이.

"이런 일도 있었어요. 우리 반에 말하는 걸 힘들어하는 학생이 있어요. 말을 할 때까지 기다려주자 했는데 수업 마치는 종이 칠 때까지도 말을 하지 않았거든요. 그러니까 대답을 기다리던 학생들이 어떤 규칙을 만들었냐면 모든 질문에 대답을 다 하는 게 아니라 오늘 서클대화 중에서 딱 한 번만 하면 된다는 규칙을 정한 거예요. 그러고 나니까 마음이 편안해졌는지, 자기가 대답하기 어려울 때는 '패스'[4]하고 말도 하고요. 말할 만한 것에는 대답도 하더라고요. 진짜 놀랐어요."

정말 그렇다. 회복적 생활교육에서는 학급 규칙처럼 정

---

4 서클대화를 하다 보면 막상 대답이 떠오르지 않을 때가 있다. 그럴 때는 "패스"라고 말하고 다음 차례에 말할 수 있는 규칙이 있다.

해진 것을 지키는 게 아니라 구성원들이 합의해서 약속을 만드는 과정이 있다. 그중에는 서클대화에서 나온 이야기는 서로 지켜주자는 항목이 있다. 때로는 힘든 이야기가 나올 수도 있고 부끄러운 이야기를 할 때도 있다. 그런 이야기들이 사람들의 입을 통해 밖으로 돌 때 어린이와 청소년은 상처받고 마음에 빗장을 건다. 아이들이 스스로 정한 약속은 지키려고 노력하고 안전하다는 느낌이 들 때 속마음을 꺼내놓기에 안전한 분위기를 형성하는 게 무척 중요하다.

"학생들이 끌어낸 거예요. 누가 시켜서가 아니라 스스로 만들어가는 이런 게 진짜 서클대화의 힘인 거 같아요."

스스로 생각하고 사리를 분별하여 판단할 줄 알며 상대를 존중하는 것이 공허한 울림이 아니라 현실에서 실현됐다는 게 놀랍고 반가웠다. 조 선생님이 서클대화 그리고 회복적 생활교육에 관심을 둔 계기는 뭘까 궁금했다.

"거칠어서 대하기 힘든 학생이 있었어요. 야단치면 더 심해질 거 같아서 고민했죠. 회복적 생활교육을 학급에서 적용해야겠다고 결심한 것은 그 학생으로 인해서였어요. 대화해보자고 했더니 그 학생이 '선생님, 제가요, 이제까지 뭘 잘못하면요, 다른 선생님들은 맨날 혼냈거든요. 근데 선생님처럼 대화하자는 선생님은 처음 봤어요' 그러더라고요."

교사가 학생을 야단쳐서 소용없는 이유가 있다. 신뢰와 존중이 전제되어 있지 않기 때문이다. 신뢰하는 사람에게 꾸중을 들으면 잘못을 뉘우치고 개선하려고 노력한다. 신뢰 관계가 형성되어 있지 않은 사람이 호통을 치면 오히려 반발심만 커진다. 특히 겉과 속이 다를 경우 청소년들에게 '꼰대' 취급을 받게 된다.

좋은 관계란 그저 좋은 얘기가 오가는 사이는 아닐 것이다. 서로 책임져 주는 게 좋은 관계다. 잘하면 격려하고 힘들어하면 위로하고 잘못하면 꾸짖을 수 있어야 한다. 나는 청소년들을 꾸짖을 때가 있어야 한다고 생각한다. 자신이 하는 행동이 남에게 손해를 끼치는지 모르고 저지를 때는 알려줘야 한다. 서클대화 모임을 할 시간적 여유가 없을 정도로 시급할 때는 꾸짖어서라도 알려줘야 한다. 청소년들의 마음을 존중하지만 제멋대로 날뛰는 망아지가 되게 놔둬서는 안 되기 때문이다. 그건 본인도 원하지 않을 터다. 전제는 신뢰 관계이고 존중이다. 청소년을 진심으로 아껴서 더 나은 사람이 되기를 바라는 마음이다. 꾸짖음과 호통치는 것을 혼동하면 안 된다. 호통치며 화내는 것에는 자신의 감정 찌꺼기가 섞이기 때문이다. 이건 받아들이는 청소년들이 제대로 파악한다. 자신을 바로잡아주려 꾸짖는 것은 고맙지만 자신이 감정의 쓰레기통이 되는 건 참을 수 없으니까.

"서클대화의 매력은 문제를 바라보는 것부터 합의하고 해결해나가는 것까지 모두 학생들이 생각하고 찾아낸다는 거예요. 직접 합의해서 만든 약속은 지키려고 노력해요. 그렇게 한 번 두 번 경험하니까 서클대화 모임이 얼마나 소중한지 학생들이 먼저 깨달아요. 가장 뿌듯하고 감동적이었던 건 저 없이 학생들끼리 서클대화를 했다는 이야기를 들었을 때였어요. 놀이터에서 그네를 타다가 다툼이 있었대요. 한 명만 계속 타면서 비켜주지 않는 상황이었죠. '왜 너만 계속 타냐?' '한 명만 계속 탄다!' 말들이 오가면서 그네를 계속 타던 학생이 나쁜 말을 했고 일촉즉발 상황까지 갔을 때 누군가 제안했나 봐요. 서클대화 하면서 서로의 마음을 물어보고, 그다음에 뭘 알아주길 바라는지, 또 서로 원하는 걸 얻기 위해 각자 할 수 있는 일이 뭔지 알아보자고요. 그러면서 그네 타는 규칙을 정하고, 폭력을 쓰지 않고도 자기가 원하는 걸 말할 수 있고 상대가 들어줄 수 있다는 걸 깨달았더라고요."

"그리고 또 뿌듯했던 건요."

말을 이어가는 조 선생님의 눈이 반짝였다.

"학급에 불안에 떨며 사는 학생이 있었어요. 자기가 소외당할까 봐 주동자를 따랐는데 그러면서도 늘 불안한 거예요. 잠을 못 잘 정도로. 항상 주동자 눈치를 보고, 또 학생들 눈치도 보면서 얼마나 힘들었겠어요. 그랬는데, 서클대화를 하면서 편안해하는 게 보였어요. 서클 안에서 있었던 일을 더 캐묻거나 다른 데 이야기하지 않도록 비밀을 지켜주는 약속이 있잖아요. 그리고 다른 사람의 행동이 나에게 끼친 영향을 대화로 알아가는 과정에서 되게 편안해하더라고요. 이제는 친구와의 관계가 두렵지 않다고 하는데 뭉클하더라고요."

이런 게 바로 서클대화의 묘미다. 문제상황은 언제 어디서든 숨어서 기다린다. 선택지는 두 가지다. 회피하거나 마주하거나. 보통 우리가 쉽게 선택하는 건 회피하는 것이다. 문제에 맞닥뜨렸을 때 긴장감을 견디기 어렵기 때문이다. 어려웠던 상황을 마주하고 풀어가다 보면 내면의 근육이 단단해진다. 다음의 이야기는 서클대화라는 안전한 공간에서 학생들이 어떻게 자기 자신을 수용하는지 보여준다.

"수학여행을 갔는데 선영이가 사람 많은 곳에서 거친 욕을 찰지게 뱉었어요. 다들 충격이었죠. 저는 담임을 해봤기에 선영이의 성향을 아는데, 그 한 가지 모습만으로 평가하는 게 속상했어요. 선영이가 이런 면만 있는 게 아니고, 얼마나 진심으로 사람을 대하는지 아니까 더 속상하더라고요. 제가 선영이 담임이 아니었기에 어떻게 얘기할지 고민스러웠어요. '너 욕 좀 하지 마'라고 직설적으로 말하면 서로 기분이 나쁘잖아요. 우리 학교는 학생 수가 적어서 2개 학년이 한 달에 한 번씩 통합으로 서클대화를 하고 있거든요. '친구가 고쳐야 할 점에 대해 진심을 담아 이야기해보자!' 이 주제로 이야기하려면 신뢰 관계가 있어야 해요. 안 그러면 비난으로 받아들여서 관계가 엉망이 되거든요. 서클대화를 하는 날 '수학여행에서 선영이가 여러 사람 앞에서 욕을 하더라. 그래서 놀랐다'라고 얘기했죠. 그랬더니 선영이가 자기가 욕을 했다는 걸 몰랐고 자신도 깜짝 놀랐다는 거예요. 그러면서 '내가 진짜 욕을 많이 하나 보다. 이건 진짜 고쳐야겠다'라고 인식하고 스스로 행동을 교정하려고 하는 모습, 그 장면이 감동적이었어요."

진짜 감동은 교사가 바로잡아주려 하지 않고 학생 스스로 발견하고 고치도록 선택할 수 있는 기회를 준 것이다. 학생들은 스스로 깨달았을 때 노력한다. 질서와 규칙이 잘 지켜지지 않는 이유는 강제하기 때문이다. 나는 모르지만, 남들 눈에 보이는 약점이 있다. 바꿔 말하면 '저 사람은 이거 하나만 고치면 참 좋을 텐데…' 이런 생각이 들 때가 있다. 내 눈엔 잘 보이지 않기에 타인의 조언이 필요하다. 하지만 쉽게 조언하지 못한다. 괜히 섣부르게 조언했다가 관계가 깨질 수 있기 때문이다. 사람이 성장하는 데 있어 타인의 조언만큼 도움 되는 것도 없다. 조언을 할 때도, 조언을 들을 때도 용기가 필요하다. 서클대화는 용기를 준다.

"또 하나 생각이 나는데요. 한 학생이 무척 조용해서 말이 없었거든요. 말을 해보라고 하면 눈물부터 흘리는 학생이었어요. 서클대화를 하면서 언제부턴가 목소리에 힘이 생겼더라고요. 얘기하겠다고 손도 들고요. 서클대화가 소중한 건 자발적이라는 것, 그 안에서 자기가 책임을 지고 풀어나간다는 것, 그게 핵심인 거 같아요. 교사가 에너지를 많이 쓰지 않아도 학생들 스스로 방법을 찾고 알아서 스스로 실천해요. 서클대화를 하면 잘 보이지 않던 학생들의 흐름이 더 잘 보여요. 서클대화 방식을 배우기 이전에는 불러서 혼내거나 이렇게 이렇게 하라고 시켰었거든요. 서클대화를 하면서는 당사자도 있지만 옆에서 보는 학생들이 그 당사자를 보면서 느끼는 감정들도 알게 되거든요. 그러면서 공동체의 관점으로 문제를 풀어가면서 관계가 만들어지는 게 진짜 신기해요."

학생들이 달라졌다는 말처럼 기쁘고 반가운 일이 또 있을까? 학급에는 다양한 구성원이 있고 개중엔 힘을 휘두르는 학생이 있다. 본인이 알고 휘두르기도 하고 모르고 휘두르기도 한다. 힘 자체는 나쁜 것이 아니다. 건강하게 힘을 행사하는 건 축복이다. 힘을 통해 군림하게 될 때 해로운 것이다. 문제행동으로 보이는 학생은 소수다. 교사들은 문제행동으로 보이는 소수 학생에게 에너지를 쓰다가 소진되고 만다. 서클대화 방식의 회복적 생활교육은 교사의 에너지 낭비를 막아준다. 다수의 구성원이 목소리를 낼 수 있어 힘의 균형이 맞춰지기 때문이다.

"학교폭력 사건을 경험했던 게 저에게는 큰 계기였어요. 당시 조용히 마무리됐지만, 모두에게 큰 상처로 남았죠. 처음으로 사직서를 써봤어요. 큰 사건으로 만들지 않으려고 중재해서 처리는 되었지만, 피해 학생이 회복되고 가해 학생이 자기책임을 깨닫는 식으로 끝난 게 아니라 그냥 덮였어요. 그런데 충격적인 일이 있었어요. 가해 학생이 다른 지역 학교로 진학했는데 거기서 뉴스에 나올 정도로 큰 학교폭력 사건이 터진 거예요. 그때 '내가 회복적 생활교육을 알았더라면 그 학생이 이렇게 일그러지게 자라지 않았을 텐데…' 하고 심하게 자책했어요. 다시는 이런 학생을 만들지 않으리라는 생각에 회복적 생활교육을 배우고 도전한 거 같아요."

아동과 청소년들은 잘못하는 것에 대해 바로잡아주기를 바란다. 자기책임을 다하는 경험을 해본 적이 없는 학생은 어른이 되어서도 책임을 지지 않는 비겁한 사람이 된다. 그뿐이랴. 심하면 남에게 피해를 주고 해를 끼치는 범죄행위를 저지르기도 한다. 조 선생님이 겪은 일을 계기로 다시는 이런 학생을 만들지 않겠다고 결심하고 회복적 생활교육을 교실의 일상 풍경으로 만들어 낸 것이 참으로 고마웠다.

"서클대화를 진행하면서 질문 하나하나가 무척 따뜻했어요. 따뜻함이 느껴지고 서클 안에서 편안함을 느낀 경험을 많이 했어요. 그래서 제가 경험한 것을 우리 선생님들이 함께 경험하고 그 경험들로 인해서 더 많은 학생이 따스함을 접할 수 있으면 좋겠어요."

조 선생님의 말대로 교사들이 회복적 생활교육을 배우고 익혀서 교실에서 적용하면 좋겠다. 조 선생님은 나를 만나고 회복적 생활교육을 접하면서 회복적 산골을 꿈꾼다고 했다. 회복적 산골이라는 말이 따듯하게 와닿았다.

조 선생님의 노력으로 장수에서 몇몇 선생님과 회복적 생활교육을 배우고 실습하는 교사 모임이 만들어졌다. 최근에는 장수교육지원청의 지원으로 회복적 생활교육 교사 연수를 열었다. 첫술에 배부르랴! 우리의 뜻에 공감하는 선생님들이 늘어나면 좋겠다. 그래서 장수가 회복적 산골이 되었으면 좋겠고 대한민국이 회복적 나라가 되면 좋겠다.

PART 03

서클대화로 만난 아이들을 다시 만났더니

조 선생님과 대화를 나눈 몇 달 뒤, 5학년 학생들과 회복적 생활교육을 한 지 딱 1년이 지났을 때 다시 학생들을 만났다. 회복적 생활교육을 경험하고 난 학생들의 목소리를 들어보고 싶어서 담임선생님과 학생들에게 요청했더니 흔쾌히 허락해주었다. 그때 나누었던 대화를 있는 그대로 지면으로 옮겼다. 생생한 장면을 전하고 싶어서다.

"오랜만에 보니 반갑네요! 우리가 회복적 생활교육으로 만난 지 벌써 1년이 지났어요. 지금 여러분은 1년 전과 뭐가 달라졌을까 궁금해요. 그래서 담임선생님께 부탁드렸는데 여러분이 선뜻 시간을 내주어서 고마워요. 내가 얼마나 달라졌는지 잘 모를 수가 있으니 '내 친구를 소개합니다'로 한번 해보려고 그래요. 작년에 비해 지금 뭐가 달라졌는지 다른 사람에 대해서 이야기해 주면 됩니다. 정인이부터 시작해볼까요?"

"내가 소개할 친구는 소현이입니다. 소현이는 작년에 비해서 키가 커졌고 더 다정하고 잘 챙겨주는 거 같아요. 그리고 옷 입는 스타일이 달라졌어요. 예뻐졌어요."

"제가 얘기할 친구는 정인이에요. 정인이는 감성이 풍부해졌어요. 그리고 신경 안 쓰는 거 같으면서 친구들에게 신경을 많이 쓰고 잘 챙겨줘요."

"츤데레."

"맞아."

"내가 소개할 친구는 규연이인데요. 작년까지는 정신이 막 사나웠거든요. 근데 지금은 조용해졌어요."

"저는 미정이를 소개할 건데요. 후배들을 많이 챙겨주고 공부도 열심히 하더라고요."

"현이를 소개하겠습니다. 현이는 작년보다 자기 생각을 또렷하게 주장하게 된 거 같아요."

명석이와 우재가 남아서 서로가 서로에게 이야기해 주었다. 명석이가 먼저 입을 열었다.

"우재는 인성이 조금 더 좋아진 거 같습니다."

우재가 "그게 끝?"이냐며 되물었다.

"어! 기대한 게 있었나 본데? 혹시 우재에게 더 하고 싶은 말이 있나요?"

내가 말을 보탰다. 소현이가 우재에 대해 할 말이 있다며 손을 들었다.

"우재는 원래 잘 나서지 않았는데, 요즘은 뭔가 해보려고 하고 친구들한테 관심을 많이 주고 멋있어졌어요. 잘생겼다, 우재야!"

잘생겼다는 말에 학생들은 동시다발로 "웩!"이라고 반응했다. 마지막으로 우재가 명석이를 소개했다.

"명석이는 사회 과목에서 말을 적극적으로 해요."
"저도 명석이에 대해 하고 싶은 말이 있어요. 배려심이 쪼끔 높아진 거 같고 예전보다 미정이랑 많이 안 싸워요. 그래서 좋아요."

"명석이가 요즘 숙제를 너무 안 해와서 반 분위기가 흐려져서 제대로 좀 해왔으면 좋겠다는 생각이 들고요. 그리고 목소리도 크게 냈으면 좋겠어요."

명석이에 대해 학생들이 하고 싶은 말이 많았나 보다. 긍정적인 얘기보다 부정적인 말이 많아지면서 아슬아슬한 느낌이 들었다. 하지만 학생들 사이에서 불꽃이 튀는 정도는 아니었다.

"한마디 더 하고 싶은데, 공부를 너무 못해요."

정인이의 마지막 말이 명석이의 감정선을 건드렸나 보다. 분위기를 바꾸고 싶었는지 소현이가 제안했다.

"이런 얘기를 우리 반에서만 하고 있는데 혹시 배추쌤께 하고 싶었던 말이 있어?"

"잠깐만! 명석이한테 하고 싶은 이야기는 다 끝난 거야?"

명석이의 감정선을 덮어둔 채 그냥 넘어가서는 안 되

겠기에 방향을 다시 돌렸다. 이때 명석이가 손을 번쩍 들었다.

"저, 정인이한테 한마디만 할게요. 너도 공부를 못하잖아."

그러자 학생들이 정인이를 감싸고 명석이에게 뭐라고 하면서 갑자기 소란스러워졌다.

"너보다는 잘하는 거 같은데."
"야! 영어, 정인이 100점 맞을 뻔했어."
"맞아, 난 한 개 틀렸는데 너는 여섯 개 틀렸거든."
"얘들아, 우리가 서로를 비난하면 안 되는 거잖아."
"얘가 먼저 비난했잖아."
"명석이는 정인이한테 더 하고 싶은 이야기 있어?"

소란스러운 분위기를 전환할 겸 내가 개입했다.

"요즘에 정인이가 반박을 좀 많이 하는 거 같아요."
"그건 인정해. 성격이 좀 사나워진 거 같아."

명석이 말에 정인이가 선뜻 인정했다. 분위기가 가라앉으려는 찰나 미정이가 손을 들었다.

"명석이 얘기인데요."
"비난 금지."

학생들이 이구동성으로 말했다.

"명석이는 자존심이 세서 절대 안 지려고 하고요. 인정도 잘 안 해요. 그래도 책임감은 높아요."

명석이의 표정을 슬쩍 살폈더니 아까보다는 풀려 보였다. 지금 서로 주고받는 말은 감정이 실려 있거나 자칫 다툼으로 번질 수 있는 말들이다. 이 상황을 사례 삼아보기로 마음먹었다. 일상에서 얼마든지 벌어질 수 있는 갈등 상황에서는 꼬인 실타래를 제대로 풀기만 하면 오히려 관계가 더 돈독해질 수 있다.

"작년에 했던 이거, 기억나요?"

조해리의 창 4개 영역이 표시된 종이를 들어서 보여주었다. 조해리의 창에 대해서는 뒤에 소개하겠다. 학생들이 기억이 나는지 고개를 주억거리며 집중해서 듣는다.

"방금 우리가 이야기를 나누면서 정인이가 명석이한테 있는 그대로 이야기를 해준다고 한 거 같은데 명석이는 기분이 나빴을 거예요. 이런 걸 우리가 다툼이라고 하죠. 다툼은 늘 생기잖아요? 다툼을 여러분은 어떻게 푸나요?"

오늘 묻고 싶었던 질문으로 자연스럽게 이어졌다.

"요즘은 덜 싸우긴 하지만, 시간이 지나고 마음이 어떤지 애들이랑 대화한 다음에 제가 잘못한 게 있으면 제가 먼저 사과하고 넘어가는 거 같아요."

"또 이야기하고 싶은 사람 있니? 다툼이 생겼을 때 정인이는 어떻게 해?"

"누구 잘못이 더 큰가 먼저 생각하고요. 만약에 제가 잘못했으면 사과해야 하잖아요. 자기 잘못을 알면 상대가 내 마음을 받아줄 때까지 사과해야 화해하고 더 친하게 지낼 수 있을 거 같아요."

"시간이 지나도 그냥 풀리는 게 아니라서 제가 먼저 말을 걸어요. 좀 다정하게 해서 풀긴 푸는데 안 풀어지는 경우가 있거든요. 내가 먼저 다가갔는데 상대방이 안 받아준 거니까 그냥 기다려요. 누가 먼저 용기를 내든 사과는 해야 하니까요."

나도 이야기를 받아서 건넸다.

"작년에 봤던 명석이하고 지금 명석이가 되게 달라 보여요. 어떤 점이 달라졌냐면 작년에는 우리가 명석이를 기다려주는 시간이 좀 필요했거든. 지금은 명석이한테서 바로바로 말이 나와서 보기 좋았어요. 친구들 덕분이겠지요? 무엇보다도 명석이 스스로 끝까지 말을 안 할 수도 있거든. 그런데 스스로 노력을 했을 거라서 그게 대견해요."

실제로 그랬다. 작년에 서클대화를 할 때 명석이 차례에서는 한동안 침묵이 흘렀다. 평소 같았으면 학생들이 재촉했을 텐데 서클대화를 하면서는 학생들이 명석이의 시간을 기꺼이 기다려주었다.

"학급에서 같이 지내다 보면 서운한 마음이 들기도 하잖아요.

그럴 때 친구에게 해주고 싶은 이야기를 지금 우리가 둘러앉아서 하는 대화 방식처럼 평소에도 하는지 궁금해요."

나의 질문에,

"평소에는 이렇게 안 하죠."

소현이가 받았다.

"아까 우재한테 멋있다, 잘생겼다고 말했을 때 다들 '웩!'이라고 했잖아요. 근데 잘생겼다는 말이 나쁜 게 아니잖아요. 근데 반응이 그러니까 이런 말은 우재한테는 하면 안 되겠다는 생각이 제일 먼저 떠오르더라고요."
"지금 소현이가 한 말에 대해서 여러분은 어떻게 생각해요?"
"맞는 말이라고 생각해요."
"칭찬한 사람이 무안해졌을 거 같아. 소현아, 미안해. 똑같이 반응해서."
"나도 미안해."

친구들의 사과를 받으며 소현이 말을 이었다.

"다음에는 우리가 칭찬할 때는 같이 맞장구를 쳐준다던가 그런 식으로 했으면 좋겠어."

40분간 내내 한순간의 흐트러짐도 없이 대화에 몰입하는 학생들이 놀라웠다. 만약 이 시간을 도덕 수업으로 가정하고 다툼이라는 주제로 강의했다면 어땠을까? 아마 학생들은 입을 열지 않았을 것이다. 분명 작년에 비해 많이 달라졌다. 비난하거나 반대하는 분위기가 되면 누군가 주지시키며 다시 대화의 목적으로 돌아오는 게 신기했다. 1년 전에 8주간 함께 했던 회복적 생활교육만의 효과라고 보기는 어려울 것이다. 회복적 생활교육을 적용하여 학생들이 주체가 되는 학생 자치 활동을 진짜로 해보려는 교사들의 노력과 관리자들의 지원 덕택이다. 담임교사와 학생들의 댓거리에서도 학생들은 주눅 들지 않았다. 올해 현장에서 마지막 근무를 이 학생들과 함께 하고 싶어 작년에 이어 담임을 맡은 최 선생님은 내년이면 교감으로 승진할 것이다. 관리자가 되어서도 회복적 생활교육의 감수성으로 임하시리라 감히 기대해본다.

학생들에게 우리가 사는 장수를 회복적 산골로 만들고 싶다고 포부를 밝혔다. 그 씨앗이 되어 준 것에 감사를 표했다. 이곳을 시작으로 회복적 생활교육을 학급 운영에 반영하는 학교들이 늘어난다면, 그래서 친구들과 우정을 더 깊고 돈독하게 만들어간다면, 사제 간에 믿음으로 관계가 형성된다면, 우리 장수가 좀 더 친절하고 살기 좋은 곳이 되지 않을까?

나는 2019년부터 YMCA평화교육센터를 통해 전북의 초 · 중 · 고교에서 회복적 생활교육 진행자로 활동하고 있다. 회복적 생활교육을 하며 청소년들을 만나는 게 재미있고, 호응이 있으니 기쁘고, 역동이 일어나면 뿌듯하다. 그러면서도 양념이 빠진 심심한 국을 먹는 것처럼 아쉬웠다. 학교 또는 교육청의 의뢰로 교육을 진행하면, 길게는 4회기로 8시간 만나지만 1회 2시간으로 끝나기도 한다. 그러면 학생들도 아쉬워한다. 교육을 진행하면 할수록 아쉬움은 커져만 갔다. 학교폭력예방교육의 하나로만 바라보는 듯한 학교나 교육청의 입장을 이해하면서도 아쉬웠고, 특히 담임선생님이 함께하지 못하는 게 가장 아쉬웠다. 초등학교는 그나마 담임선생님이 함께할 수 있는 구조지만 중학교와 고등학교는 과목별로 수업 시간과 교사가 다르기에 쉽지 않다. 하지만 마음을 낸다면 불가

능하지도 않다. 매주 어렵다면 한 달에 한 번 정도 진행한다거나 조회 혹은 종례 시간에 질문 한 가지씩만 던지고 대화해도 충분하다. 아니면 도덕 교사가 회복적 생활교육을 전담할 수도 있다. 대신 평가방식을 달리해야 하겠지만….

그래서 나는 늘 선생님들과 회복적 생활교육을 함께 연구하고 실행해보고 싶었다. 그 꿈이 조 선생님을 만나면서 구체화되고 있다. 회복적 산골을 만들고 싶다는 말은 실은 내 말이 아니라 조 선생님이 한 말이다. 교무회의나 교과과정협의회에서도 서클대화 방식을 도입하려고 시도하는 선생님을 응원한다. 조 선생님과 나는 교사 모임인 전문적 학습공동체에서 몇 분의 선생님들과 회복적 생활교육을 함께 배우고 연구하고 있다. 이 꿈이 결실을 볼지 아직은 장담할 수 없다. 어쩌면 움트지 못할 수도 있다. 그렇더라도 다음을 위한 자양분은 되지 않을까?

PART 04

관계의 길은 이렇게 만들어지더라

중학생들과 대화하기 어렵다는 말을 종종 듣는다. 뭘 물어보면 돌아오는 대답은 대개 "몰라요"다. 나를 무시하나 싶은 마음이 들기도 한다. 그런데 중학생들 당사자의 입장은 어떨까?

몇 년 전만 해도 '중2병'이라는 말이 유행처럼 돌았다. 사춘기의 끝판왕이었다. 가장 다루기 어렵고 힘들다고도 했다. 요즘은 사춘기가 초등학교 5학년까지 내려갔다고 한다. 그런데 사모아섬의 사례를 보면 사춘기가 인생에서 반드시 겪는 통과의례인지 의문이 든다. 문화인류학자 마거릿 미드Margaret Mead, 1901~1978가 1925년 뉴질랜드 인근 사모아섬에서 연구하던 시절, 그곳 청소년들이 갈등 없는 성장기를 보내는 것을 관찰했기 때문이다. 그녀는 사춘기 행동을 결정하는 원인이 타고난 것이 아니라 그 사회에 형성된 '문화'라고 결론 내렸다.

장수에서는 청소년들뿐만 아니라 초등학교 저학년 어린이들 사이에서도 마치 사춘기를 겪는 것 같은 갈등을 많이 보았다. 어린이들은 공부와 어른들의 간섭에 지쳐간다. 심지어 숙제도 부모가 대신 해주는 시대가 아닌가! 마음으로야 뭐든 다 해주고 싶겠지만 대신 해주거나 간섭하는 것은 학생이 스스로 책임지고 성장할 수 있는 싹을 잘라버리는 결과를 낳고 만다.

게다가 초등학교 때까지는 부모님 · 선생님으로부터 '이거 해라' '저거 해라'라는 얘기를 듣다가 중학생이 되면 갑자기 '나이가 몇인데 그것도 알아서 못 하니?'라는 얘기를 듣게 된다. 그 중간이 없다. 그러니 혼란스러울 수밖에. 어른들이 원하는 대답이 있을 텐데 그게 뭔지 진짜 모르는 거다.

초등학생 때까지는 부모님과 대화가 어느 정도 되다가도 중학생이 되면 대화가 뚝 끊기는 경우도 많다. 하지만 중고등학생 시절에도 부모님과 대화가 잘되는 청소년들도 있다. 잘된다는 건 어느 정도의 경험치가 쌓여 있다는 뜻이다. 길이 한순간에 만들어지던가! 수많은 사람의 수많은 발자국이 쌓여서 만들어지는 게 길이다.

부모가 맞벌이하거나 농사를 지으면 늦은 시간에 집에 들어오고, 집에 들어오면 소파에 눕고 싶고, 그러다 보니 자녀와 대화할 기회가 적어진다. 그러다 보면 자연스러운 대화가 어색해지고 낯설어진다. 우리는 보통 상대방이 먼저 뭔가 해주기를 바란다. 먼저 말 걸어주기를 바란다. 그건 상대방도 마찬가지다. 나의 어린 시절을 떠올려보면 학교에서 있었던 일, 친구와 있었던 일을 곧잘 얘기하곤 했던 것 같다. 중학생이 되면서 비밀이 많아졌다. 숨기고 싶은 것이 많아졌고 친구 얘기도 부모님께 하지 않았다. 물어보는 것만 겨우 대답했다.

이야기를 듣고 싶으면 내 얘기를 먼저 꺼내는 게 좋다. 내 속을 드러내 보이면 청소년들도 속마음을 표현한다. 진심을 확인하는 방법으로 솔직하게 자신을 드러내는 서클대화만큼 효과적인 것도 없다.

'조해리의 창Johari's window'이라는 게 있다. 조셉 러프트Joseph Luft와 해리 잉햄Harry Ingham 두 사람의 이름을 조합해서 명명된 것으로, 이들이 연구해서 만든 것이다. 4가지 영역으로 구분되어 있다. 나도 알고 남도 아는 '열린open

창', 나는 알지만 남은 모르는 '숨겨진hidden 창', 남은 아는데 나는 모르는 '보이지 않는blind 창', 나도 모르고 남도 모르는 '미지의unknown 창'.

조해리의 창 4개 영역

어린이 · 청소년들과 활동할 때 조해리의 창을 설명한다. 어린이들도 잘 이해한다. 내가 숨기고 싶고 드러내고 싶지 않은 부끄러운 일을 용기 내어 말할 수 있고, 타인의 진심 어린 조언을 기꺼이 받아들일 때 우리는 온전한 인간이 될 수 있다.

내가 25세가 되었을 때 처음으로 가족회의란 것을 했다. 그 자리에서 부모님은 이혼을 선언했다. 자식들에게 상의 한마디 없는, 그냥 통보였다. 부모님이 이혼한 게 나는 너무나도 부끄러웠다. 그래서 한동안 부모님의 이혼

소식을 숨겼다. 친구들이 가끔 부모님의 안부를 물을 때도 얼버무렸다. 그런데 부모님의 이혼에 대한 부끄러움이 왜 내 몫이어야 할까? 내 잘못도 아닌데. 그걸 알아채고 나서는 조심스럽게 부모님의 이혼을 드러내기 시작했다. 무슨 큰일이나 날 것만 같았는데 막상 말하고 나니 별일이 일어나지 않았다. 부모님의 이혼이 나에게 큰 약점 같았는데 드러내고 나니 더 이상 약점이 되지 않았다. 이렇게 드러내면 '숨겨진 창(비밀 영역)'이 줄어들고 '열린 창(개방 영역)'이 커진다. 그렇게 마음에 근육이 붙고 힘이 생기며 성장해간다.

나는 강의를 전달식으로 하지 않는 편이다. 왜냐하면 전달식으로 하면 말투와 톤이 일정해서 사람들이 졸기 때문이다. 10여 년 전에 성인을 대상으로 강의하고 나서 피드백을 받았다. 그때 한 분이 나의 폐부를 찔렀다.

"강의 내용은 좋은데 너무 졸려요. 그 말투 좀 어떻게 해 봐요."

사뭇 가볍게 웃으면서 던진 말이었지만 내 가슴은 쿵 내려앉았다. 나름대로 강의에 자신이 있었는데 그 후로 위축되었다. 하지만 그 말을 허투루 듣지 않았다. 내가 말하는 장면을 영상으로 촬영해서 모니터링을 했다. 내가 들어도 졸렸다. 전문강사는 아니니까 죽을힘을 다해 바꾸려고 연습하지는 않았지만, 목소리의 일정한 톤을 조절하려고 노력했다. 만약 그때 피드백에 대해 기분 나빠하기만 했다면 나의 성장에 도움이 되지 않았을 것이다. 조언을 받아들이면 '보이지 않는 창(맹목 영역)'이 줄어들고 '열린 창(개방 영역)'이 커진다. 조언을 받아들인다는 것은 그 말대로 한다는 뜻은 아니다. 이야기를 듣는 것과 그대로 행동하는 것은 다르다. 선택은 나의 몫이다. 요즘에도 강의할 때 꾸벅꾸벅 조는 청소년이 있다. 그럴 땐 이렇게 얘기한다.

"조는 건 네 잘못이 아니다. 졸게 하는 내 잘못이지. 재미있게 강의하도록 바꿔볼게."

그러면 학생들은 졸음을 견딘다. 차분하게 말하는 내 스타일을 갑자기 바꾸는 건 어려웠다. 그보다 청소년들에게 솔직하게 개방하고 청소년이 참여하는 방식을 선택했다. 그건 질문을 하고 자기 생각을 말하는 서클대화 방식이다. 청소년들과의 관계의 길은 이렇게 만들어져갔다.

PART 05

상대방보다 나에게 먼저

사무실까지 출근하는 길에 오르막길이 있다. 80km 정도 속도로 그 오르막길을 올라가고 있는데 갑자기 어떤 외제 차가 내 옆을 "빠앙!" 경적을 울리며 쏜살같이 지나갔다. 순간 깜짝 놀라기도 했지만 동시에 화가 났다. 욕이 튀어나올 뻔했다.

그 차의 속도는 120km가 훨씬 넘어 보였다. 1차선 오르막에서 위험천만하게 저런 식으로 운전하다니. 오르막에서 나도 느린 속도는 아니었는데 마치 '이 느림보 녀석아!'라고 한 것처럼 들렸다. 상황을 맞닥뜨린 처음엔 진공 같은 순간을 경험한다. 감각적인 자극만 있을 뿐이다. 사실 이때는 거의 아무것도 느껴지지 않는다. 생각이 덧붙는 다음 순간, 감정들이 복합적으로 올라온다. 아직 '화'는 아니다. '오르막에서 시속 120km로 달리는 건 잘못된 거야' '저러다가 사고가 날 수도 있어' '내가 사고의 희생자가 될 수도 있지' 이런 생각들이 덧입혀지면 드디어 '화'라는 감정으로 이름이 붙는다. 이 과정은 순식간에 일어나기 때문에 거의 알아채지 못한다. 이렇게 순간적으로 화가 나면서 화살이 외부로 향한다. '저 운전자가 나를 놀라게 했어' '저따위로 운전해선 안 돼' 이렇게 남 탓을 하게 된다. 감정이 일어나는 일반적인 과정이다.

상대 운전자를 탓하는 게 알아차려지자 시선이 나의 내면으로 전환되었다. '지금 화가 나려고 하는구나' '짜증이 났네' '상태가 불안정하구나' '상태가 불균형하구나' 상태가 인지되었다. 느낌과 감정을 읽은 뒤에 나 자신을 토닥였다. "빠앙!" 하는 소리를 듣고 얼마나 놀랐을까? 이 순간에 누가 놀란 내 마음을 토닥토닥해 줄 수 있겠는가? 나 자신뿐이다. 이렇게 자신을 토닥이면 부풀어 오르던 감정이 진정된다. 그러고 나면 좀 더 상황이 명확하게 보인다. 누가 내 마음을 알아주지 않는다고 야속하다거나 서운하다고 느끼기 전에 내가 먼저 나 자신을 토닥토닥해 주자 화가 가라앉고 운전자에 대한 미운 마음이 사라진다. 그러고 나서 상대 운전자를 생각해본다. 아침 컨디션이 안 좋았을 수도 있고 앞에 있는 느린 차에 짜증이 났을 수도 있다. 아니면 급한 일을 당장 처리하러 가야 했을 수도 있다. 가족이 아프다든지 아니면 급한 소식을 듣고 가는 길인지도 모른다. 어쨌든 그 사람을 저주하거나 욕하거나 미워하는 일이 과연 나에게 어떤 도움이 될지를 생각해본다. 그 사람은 그 사람이고 나는 나일 뿐이다. 쓸데없이 에너지를 낭비할 이유가 없다. 청소년들을 만날 때도 이런 마음이다. 써야 할 곳에 에너지를 쓰면 된다.

한번은 모임 중에 청소년 한 명과 감정적으로 부딪힌 일이 있었다. 오래된 마을 숲에서 자유로운 시간을 보내자고 모인 날이었다. 과자와 보드게임을 준비했고 정자에 돗자리를 펼쳤다. 학생들이 보드게임을 하며 즐겁게 노는 것 같았는데 2시 50분쯤 되니까 "10분만 지나면 끝난다!"라는 말이 들렸다. 마음속에 회오리가 일었다. 잔잔해지게 다독거렸다. 3시가 되어 '오늘 모임이 어땠고 어떤 의미가 있었는지' 물었다. 늘 이렇게 성찰 질문으로 마무리했다. 오늘따라 희성이가 그걸 꼭 해야 하냐며 불편한 기색을 보였다. 순간 내 마음속에 불꽃이 일었다.

"아무리 비싸고 맛있는 음식을 먹더라도 의미를 부여하지 않으면 결국 똥이 된다. 우리 활동에 의미를 부여하는 건 성찰이다. 성찰하지 않겠다면 활동하지 말아야지."

마지막 말은 하지 말았어야 했다. 희성이 표정이 똥 씹은 표정이다. 욱하는 심정이 확 올라오며 얼굴이 벌게지는 것이 느껴졌다. 분위기가 묘하게 어색해졌다. 그대로 그렇게 어색하게 헤어졌다. 세상이 내 뜻대로 움직여지지 않는 걸 잘 알면서도 순간순간 휘몰아치는 감정을 제어하기란 참으로 어려운 일이다.

낮에 있었던 일을 떠올리고 내면을 살피며 자신을 토닥이는 과정을 거치고 나니 마음이 풀어졌다. 그날 저녁 희성이에게 전화를 걸었다. 감정을 주체하지 못하고 화를 낸 것에 대해 사과했다. 그리고 모임에 제안하고 싶은 거나 불만족스러운 것이 있으면 언제든 얘기해달라고도 했다. 희성이는 선뜻 받아들였다.

어른도 실수하고 잘못을 저지른다. 청소년에게 사과한다고 해서 청소년이 어른을 무시하거나 만만하게 생각하지 않는다. 오히려 자신을 존중하고 대접해준다고 여긴다. 감정의 불편함에 에너지를 쓸지, 아니면 관계를 풀고 더 나은 관계를 만들어가는 데 에너지를 쓸지는 선택의 몫이다.

PART 06

세상엔 똑같은 게 하나도 없다

한동안 나는 이른 아침에 소나무 숲속에 머물기를 좋아했었다. '자연에 말 걸기'라는 온라인 과정에 참여하면서 수행하는 일종의 과제로 시작했는데 어느새 하루 중 가장 기다려지는 시간이 되었다. 출근하기 전 6시에서 7시 사이에 조용한 숲속에 머물면서 혼자 이런저런 과제를 수행했다. 나무와 나무 사이의 공간을 응시하거나, 나무를 껴안거나, 나무에 손대고 있을 때는 숨을 쉬고 손을 떼면 숨을 참는 등 자연물을 통해 나의 내면을 만나고 탐구하는 과제였다. 이 공간에서는 충만해졌고 바랄 것이 없었다. 매일 매일을 기분 좋게 시작할 수 있었다.

그러던 어느 날, 커다란 은행나무 아래에서 신기한 경

험을 했다. 알고 보면 별것 아닐 수도 있겠지만 그 순간엔 놀라운 깨달음이었다. 깊은 가을의 끝자락 즈음이었는데 노란 은행잎들이 켜켜이 두툼하게 쌓여 있었다. 밤하늘의 별처럼 수많은 은행잎을 바라보다가 문득 한 생각이 스쳤다. '어? 똑같은 잎이 하나도 없네?' 잎들을 주워서 일일이 대보았다. 똑같이 생긴 게 없었다. 다 달랐다. 그러고 보면 이 세상엔 비슷하긴 해도 똑같은 사람이 하나도 없지? 어디 지구에서만일까? 전 우주에 '나'라는 존재는 단 하나밖에 없지 않은가! 생각이 여기에 미치자 소름이 돋았다. 우주에 단 하나뿐인 존재라니! 이 얼마나 귀한가? 비단 나뿐일까? 세상 사람들 모두 우주에서 단 하나뿐인 귀한 존재였다. 귀한 존재에게 때로는 험한 말을 하거나 무시했던 기억들이 떠오르면서 부끄러웠다.

나에게는 특별한 사람이 있다. 마음공부를 그 사람으로 인해 시작하게 되었기 때문이다. 남양주YMCA에서 함께 일한 선배였는데 무려 7년 동안 차갑게 지냈다. 계기가 있었다. 시작은 이랬다. 어린이들과 기행을 떠나는 주말 아침이었고 8시 30분까지는 도착했어야 했다. 그날따라 내가 타고 가야 할 버스가 정류장을 무려 2번이나 그냥 지나쳐버렸다. 초조해졌다. 택시를 타고 갈까 생각하기도 했으나 서울 중랑구 망우리에서 남양주시 금곡동까지는 택시비가 만만치 않았다. 겨우 버스에 탔으나 출발시간보다 이미 20분쯤 늦은 뒤였다. 학생들과 학부모들과 스태프들이 모두 기다리고 있었다. 창피해서 미안하다는 말조차 할 수 없었다.

이 일로 선배와 다투었다. "버스가 그냥 지나쳤다는 게 말이 돼? 택시라도 타고 왔어야지! 어떻게 시간을 안 지킬 수 있어?"라며 활동가의 자질을 문제 삼았다. 나는 미안함과 억울함을 토로하며, 선배가 후배를 잘 이끌어줘야 하는 것 아니냐며 선배에게 탓을 돌렸다. 서로 평행선을 달렸기에 접점이 찾아지지 않았고 그 뒤로 서로 말 섞는 게 줄어들었다. 말뿐만 아니라 시선도 차가워졌다. 업무적으로 해야 할 말만 했고 말투는 무뚝뚝했다.

그렇게 지낸 게 7년이었다. 우리 둘로 인해 '아리랑 풀이'라는 갈등 해소 프로그램이 도입되었지만 소용없었다. 나는 선배와 나의 문제로만 인식하고 있었다. 그런데 뒤늦게 진짜 문제가 무엇인지 알게 되고 나서 가슴이 쿵 내려앉았다. 후배들이 참다 참다 해준 이야기를 듣고 나서였다. 그 선배만 사무실에 있거나 나만 사무실에 있으면 괜찮은데, 선배가 사무실에 있을 때 내가 들어오거나 그 반대일 때 순간적으로 공기가 얼어붙고 숨을 쉴 수 없을 정도로 조마조마했다는 게 요지였다. 깜짝 놀랐다. 나와 선배의 보이지 않는 기 싸움이 주변 사람들에게 심각한 고통을 주었다는 걸 미처 몰랐기에 너무나도 미안하고 부끄러웠다. 그동안의 과정으로 짐작건대 선배와 화해할 가능성은 거의 없어 보였고 또 화해할 용기가 없었으므로 내가 선택한 방법이란 내가 단체를 떠나는 것이었다. 선배에게 퇴사 의사를 밝혔고, 선배는 나의 의사가 바뀌지 않기를 바란다고 짧게 말했다. 그걸로 끝이었다. 2009년 12월은 그렇게 막막하게 지나갔다. 'YMCA를 그만두면 뭘 할 수 있을까?' '과연 내가 할 수 있는 게 있긴 한가?' 두렵고 막막했다. 그런데도 그만두지 않을 수 없었다. 한편으론 속이 후련했다.

선배는 나에게 호두마을이라는 명상 단체를 알려주며 마음공부를 해보라고 했다. 나는 귓등으로 흘려들었다. 그런데 삶은 나를 전환의 길로 이끌었다. 미내사클럽이라는 단체를 알게 되어 '깨어있기' '통찰력 게임' '삶의 진실, 백일학교'에 참여하면서 삶이 바뀌기 시작했고 그 선배가 달리 보였다. 귀한 존재였던 선배에게 내가 했던 말과 행동이 어떤 영향을 끼쳤을지 진심으로 미안했다. 지나고 돌이켜보니 그 선배는 내 인생의 가장 큰 스승이었다.

"내가 가장 싫어했던 그 사람이 바로 나의 스승이다."

선배와 겪은 일로 인해 내가 배우고 깨친 삶의 지혜다. 지리산 자락에 살면서 선배에게 편지를 보냈고 앙금은 조금씩 풀렸다. 지금은 장수YMCA의 든든한 후원자다. 이 경험은 청소년들을 세상에 똑같은 이가 없는, 귀한 존재로 대할 수 있게 해주었다. 어디 청소년들뿐이랴! 세상의 모든 존재는 단 하나뿐이다. 귀하지 않을 수 있겠는가! 청소년들이 귀한 존재임을 스스로 알게 해주고 싶었다.

할 수
있는
것부터

3장

스스로 도전하고 탐색하며

PART 01

청소년을 바라보는 눈

청소년은 어떤 존재인가?

청소년을 어떤 존재로 바라보는가?

군산에서 활동하고 있는 청소년자치연구소 정건희 선배를 만나기 전에는 나 자신을 '청소년을 도와주는 사람'으로 인식하고 있었다. 내가 도움을 받은 것처럼 청소년을 돕고 싶었다. 도와주고 싶은 마음은 참 아름답다. 그런데 과연 누가 나에게 도와달라고 했던가? 청소년들이 나에게 도와달라고 했던 적이 있던가? 가만히 지난날을 떠올려보면 내가 먼저 다가가서 청소년들에게 '도와줄까?' '도와주고 싶어' 이런 마음으로 대했더랬다. 선한 마음이다. 하지만 그 마음의 초점이 어디 있는지 확인할 필요가 있다. 당시에는 마음의 초점이 청소년에 있다기보다 나 자신에게 있었다. 도와줌으로써 나의 가치를 높이고 싶었다. 도움을 주고받는 사이에서는 미묘하게 위아래 관계가 형성된다. 도움을 주면 왠지 우월한 느낌이 들고, 도움을 받으면 왠지 빚진 느낌이 들기 때문이다. 상대가 원하지 않는데 돕겠다는 건 요즘 말로 꼰대의 행위다.

지금은 돕겠다는 생각보다는 잘 들어주고 싶다는 생각이 더 크다. 잘 듣다 보면 청소년에게 필요한 것이 보인다. 필요한 것이 보이면 채워주면 된다. 이때는 마음의 초점이 내가 아니라 청소년에게 있다. 이때 주고받는 도움에서는 위아래 관계가 형성되지 않는다.

도와주고 싶은 마음이 있다는 건 그나마 양반이다. 청소년을 존중하지 않고, 미성숙하고 꾸짖어 바로잡아야 할 대상으로 보는 어른이 얼마나 많은가? 그에 비하면 청소년활동가들은 청소년을 대하는 자세와 관점이 양호한 편이다. 그렇더라도 활동가라면 더 높은 수준이 요구된다.

정건희 선배에 의하면 청소년활동은 3가지로 구분된다.

첫 번째는 청소년을 위한 활동이다. 이때 활동가와 청소년은 상하관계로 구분된다. 주체는 '활동가'이고, 객체는 '청소년'이다. 잘 떠올려보시라. 청소년을 위하는 마음으로 뭔가 했을 때 조언이나 충고의 방향으로 흐르지는 않았는지. 진짜 청소년이 고마워하고 진심으로 받아들였는지. 실상은 활동가 자신을 위해서 한 것은 아닌지. 청소년을 위하는 것은 선한 의도에서 나온 행동이겠지만 '누가 그렇게 해달라고 했어요?'라는 말을 듣기 십상이다. 청소년이 도움을 바랄 때라야 '위하는 마음'이 힘을 발휘한다.

두 번째는 청소년과 함께 하는 활동이다. 이것도 참 좋은 마음에서 비롯된다. 다만 여전히 주체는 활동가 쪽이다. 활동가는 청소년보다 나이가 많고 경험도 더 많기에 동등하다고 여기고 싶겠지만 여전히 위치에너지는 은연중에 활동가에게서 청소년 쪽으로 흐른다. 활동가가 끌어가는 단계다.

세 번째는 청소년에 의한 활동이다. 청소년이 기획하고 청소년이 판단하여 청소년이 선택하고 청소년이 행동한다. 비로소 주체가 청소년이다. 첫 번째와 두 번째는 나쁘고 세 번째 방식만 옳다는 말은 아니다. 세 가지 방식 모두 필요하고 옳다.

나의 고교 시절을 떠올려보면 대개 청소년들은 세 번째 방식을 취했다. 교회에서든 학교 동아리에서든 누가 시켜서 하는 게 아니라 자기들이 하고 싶은 걸 했다. 그땐 교회 선배가, 동아리 선배가 활동가였다. 고등학교에 진학해서 미술반에 들어갔다. 그림 그리는 법과 생활 태도에 관해 선배들에게 배웠고 후배들을 가르쳤다. 담당 교사가 있었지만 거의 관여하지 않았다. 교사가 관여하기 싫어서 그런 것이 아니라 선배들이 교사의 간섭을 원하지 않았기 때문이다. 우리 기수가 선배가 되었을 때도 미술 선생님이 관여하지 말기를 청했었다. 그래서 나는 청소년들에게 간섭을 최소화하려고 노력한다. 조언하거나 간섭하는 대신 청소년들이 어떻게 생각하는지 주로 의견을 묻는다.

"네 생각은 어때?"

이 질문을 했을 때 청소년들은 처음엔 당황했다. 무슨 대답을 해야 할지 떠오르지도 않았을 테니까. 그런데 차츰 청소년들은 자기 의견과 생각을 표현했다. 그리고 자신과 다른 의견을 통해 생각이 확장되는 것을 경험했다.

장수에도 자기들끼리 알아서 뭔가를 하는 청소년들이 있다. 이들에겐 활동가가 필요하지 않다. 활동가가 필요한 건, 뭔가 해보고 싶긴 한데 뭘 어떻게 해야 할지 모르는 청소년, 무기력하게 하루하루를 그냥 보내는 청소년들이다. 그래서 돕고 싶은 마음과 함께 하고 싶은 마음으로 청소년들이 스스로 하고 싶게 지원하는 것이 내가 생각하는 청소년활동가의 모습이다.

청소년에 의한, 청소년들이 스스로 하는 자치 활동에서 중요한 키워드는 자기책임이다. 청소년을 위한 활동이나 청소년과 함께 하는 활동은 활동가의 책임이 강하고, 청소년이 스스로 하는 자치 활동은 청소년들의 자기책임이 강하다.

청소년들과 함께 했던 식물 돌보기 프로젝트 이야기를 할까 한다. 나 이외의 다른 존재를 돌보는 경험을 해보면 좋겠다는 취지였다. 청소년들이 저마다 기르고 싶은 식물을 골랐고 나도 '워터코인'이라는 품종을 골랐다. 그동안 식물을 여러 번 길러보았지만 하나같이 말라죽거나 뿌리가 썩어버리곤 했다. 집에서 관상용으로 기르는 데는 소질이 없었다. 그래도 청소년들과 같이 하기로 했으니 이번엔 제대로 해보리라 다짐했다. 한 달 정도 지났을 무렵, 누가 '마이너스의 손' 아니랄까 봐, 역시 잎이 노래지기 시작했다. 햇볕이 잘 드는 창가에 두고 물도 마르지 않게 잘 주었는데 뭐가 문제일까? 줄기는 힘이 없어 보였고 잎은 축 처져 보였다. 내 마음도 덩달아 처졌다. 식물을 돌보면서 마음을 추스르자는 취지가 무색했다.

하루는 창밖에 두었던 것을 깜빡 잊고 출근을 해버렸다. 돌아와 보니 이게 어찌 된 일인가? 잎사귀에 생기가 도는 것이 아닌가! 어쩌면 착시일지도 몰라. 그러다 문득 '바람'이라는 단어가 떠올랐다. 그렇지! 바람이 필요하다고 했지. 식물과 함께 동봉된 쪽지에는 햇볕과 물과 바람이라고 씌어 있었던 듯했다. 그날 이후로 바람을 쐬어 주었다. 어린잎들은 무럭무럭 자랐다. 이따금 노란 잎이 생기면 떼어주었다. 식물을 길러본 이래로 이렇게 무난하게 된 적이 처음이라서 감격스러웠다.

바람. 식물에 바람이 필요하다는 걸 머리로 외우듯이 알고 있었지만 '왜' 필요했을지는 관심을 두지 않았었구나! 바람에 맞서려면 힘이 필요하다. 바람은 식물이 지탱하는 힘을 길러주었을 것이다. 생각은 꼬리에 꼬리를 문다. 바람이 비단 식물에만 필요할까? 인간사에도 숱한 시련이 있다. 하루에도 열두 번씩 스트레스를 받는다. 그런데 바람처럼 회피하고 싶은 시련이 성장에 도움이 된다니! 나에게 부는 '바람'은 뭘까? '쓴소리'라는 낱말이 쏜살

같이 떠오른다. 약이 된다고는 하지만 쓴소리는 듣기 싫었다. 그런데 이 순간만큼은 쓴소리가 약이 된다는 게 수용되었다. 이해되었다. 누군가가 나에게 쓴소리하는 게 받아들여질 것 같다.

살다 보면, 비난은 아니지만 꼭 필요한 지적이 있다. 청소년들을 바라보면서 어른으로서 꼭 해주고 싶은 말들이 있지 않은가! 그런데 꼰대 소리 들을까 봐 꾹 참고 있지는 않은가? 나는 꼰대 소리를 듣더라도 필요하다면 꼭 말해줘야 한다고 생각한다. 그게 어른으로서 마땅한 도리이기 때문이다.

청소년활동가, 부모, 교사들의 궁극적인 목적은 청소년, 자녀, 학생들을 바람직한 방향으로 이끄는 것이다. 청소년을 존중하지만 날뛰는 망아지처럼 놔두어서는 곤란하다. 비단 청소년만 해당하는 건 아니겠다. 성인 중에도 날뛰는 망아지들이 얼마나 많은가? 고삐 풀린 망아지를 어떻게 바람직한 방향으로 이끌어 줄 수 있을까? 힘으로 강제할수록 더 날뛴다. 발길질을 당하고 싶지 않아 멀찍이서 바라만 보는 방관자도 바람직하지 않다.

나는 날뛰는 망아지를 바람직한 방향으로 이끌어주기 위한 효과적인 방식이 서클대화라고 생각한다. 누구나 자기 목소리를 내고 자발적으로 판단하고 선택할 때 자기책임을 다할 수 있다고 믿기 때문이다. 이 글을 읽는 독자도 누군가의 조언이나 충고를 들어봤을 테니, 그때를 잘 떠올려보시라. 다른 사람의 충고나 조언을 들었을 때 어떤 마음이 들었는지? 또 순수하게 있는 그대로 받아들여서 자신의 행동이나 습성을 고쳤는지?

나는 최근에 지인의 고민을 듣고 이야기를 나눈 적이 있다. 내 조언으로 그의 고민을 해결하고 그를 변화시켰다고 착각했었다는 걸 나중에야 알게 되었다. 그야말로 착각이었다. 누군가의 말로 인해 변화되는 것처럼 보였다면 분명 전 단계가 하나 있다. 조언이나 충고를 자기의 것으로 만드는 단계다. 즉, 그 말에 동의가 되고 공감이 돼서 '내가 선택해서 내가 정하는 거야!'라고 하는 전 단계가 있을 때 행동의 변화가 일어난다. 활동가나 교사, 부모가 어떻게 청소년을 바라보고 대처해야 할지 실마리를 보여준다. 우리가 해야 할 것은 이것이다. 공감하고 감정을 알아봐 주고 마음을 헤아려주는 것뿐이다. 그리고 기다리는 것이다. 어린이와 청소년들이 자기 것으로 받아들이는 과정을 거치면 고삐 풀려서 날뛰던 망아지에서 자기책임을 다하는 사람이 된다.

PART 02

시들지 않기를

전주YMCA가 전북도교육청의 위탁을 받아 운영하는 대안학교가 있다. 대안학교라는 말을 듣는 이들은 두 가지 반응으로 나뉜다. '학교에서 채우지 못하는 걸 채우는 학교' '하고 싶은 걸 하는 학교'로 이해하거나 아니면 '학교에서 문제를 일으켜서 벌을 받으러 가는 곳'으로 이해한다. 주로 활동가들 사이에서는 전자로 이해되고 학생들 사이에서는 후자로 이해되곤 한다. 위탁형 대안학교는 후자다. 교칙을 어겼거나 학교에 적응하기 힘들어하거나 문제를 일으켰을 때 보내진다. 위탁형 대안학교의 이름은 '괜찮은학교'다. 여기서 인애를 만났다.

인애는 경찰이 꿈이라고 했다. 하지만 암만 봐도 경찰

과는 어울리지 않았다. 인애에 대해 알고 싶었다. 글쓰기 수업을 통해 매번 한 주간 겪었던 일과 그때의 감정을 이야기하면서 시와 생활 글을 썼다. 인애의 글에는 솔직한 마음이 담겨 있었다.

인애를 만난 지 두 학기가 지나갈 즈음이었다. 언제부터 친해지게 되었는지는 잘 기억나지 않지만, 농담을 주고받을 정도의 사이는 되었다. 근황을 이야기하던 중에 뜻밖에 인애가 자기 고백(?)을 했다. 괜찮은학교에 올 때까지만 해도 경찰이 꿈이었는데 지금은 진짜 꿈을 찾은 것 같다며, YMCA 덕분이라고 했다. 그 이야기가 마음에 와닿았고, 인애에게 그걸 글로 써보면 어떻겠냐고 제안했다. 인애는 자기가 쓰고 싶은 글을 3주 정도 썼는데 그동안 다 쓰지 못했다며, 집에서 마저 써오겠다고 했다. 80%는 믿었지만 20%는 못 써올 수도 있겠다고 생각했다. 하지만 인애는 약속을 지켰다.

중학생 시절 인애의 꿈은 판사였다. 부모님의 바람이 컸다. 부모님의 지원으로 학원도 열심히 다녔다. 일주일에 6일을 학원에서 살았다. 지치는 게 당연했다. 3학년 2학기 즈음 판사라는 꿈이 터무니없다는 걸 깨닫곤 학원을 끊었다. 뭘 해야 할지 모른 채 방황했다. 고등학교에 진학해서 격차는 점점 커졌다. 학습에 흥미를 잃고 꿈도 사라져가고 자신마저 사라져 가는 것 같았다. 바뀌고 싶어서 안간힘을 썼고 발버둥을 쳤다. 하지만 늘 자책으로 끝났다. '언젠간 찾아지겠지'라고 생각하며 위안 삼았지만, 마음 한쪽에 불안감이 자리 잡고 있었다. 꿈이 없다는 게, 정해진 게 없다는 게 창피했다. 절대 들키고 싶지 않았다. 그러다가 친한 친구가 경찰 시험을 준비한다는 말을 들었다. 한국사 능력 검정시험과 과목 몇 가지만 준비하면 된다는 말에 솔깃했다. '이거다!' 쾌재를 불렀다.

2학년이 되었지만, 반에 친한 친구가 하나도 없었다. 적응이 안 되었다. 그중에서도 수행평가는 너무나도 힘들었다. 팀으로 해야 하는 활동이기에 점수에 예민해져 있는 구성원들 사이에서 말린 오징어가 되어갔다. 학교 가기 싫은 마음이 점점 커지더니 급기야 학교가 두려워졌다. 자퇴해야겠다고 마음먹을 정도였다. 그러다가 괜찮은학교에 오게 되었다. 마음 편하게 경찰 시험을 준비할 요량으로 선택했다. 그런데 머릿속에서 '경찰이 진짜 하고 싶은가?'라는 질문이 계속 맴돌았다.

괜찮은학교에서 청소년들끼리 오란다를 만들어서 판매하는 프로젝트를 하게 되었다. 판매 수익 중 기부하고 남은 수익금으로 제주도로 수학여행을 가기로 했다. 처음엔 긴가민가했지만 요리 수업해주시던 윤정희 선생님께 오란다 만드는 법을 배웠다. 오란다가 너무 딱딱해지거나 너무 물러지지 않게 하려면 재료 배합 비율이 중요했다. 오란다를 만들고, 홍보하고, 주문받고, 포장하는 과정에서 몸은 젖은 솜처럼 무겁고 힘들었지만 흥미를 느꼈고, 뿌듯함과 함께 예비 사업가로서의 자신을 발견하게 되었다. 어렵고 힘들지만 하나하나 문제를 해결해가는 것도 재미있었다. 게다가 직접 돈을 번다는 것 자체가 기뻤다. 오란다 프로젝트는 대성공이었다.

오란다 프로젝트가 성공하자 인애에게 욕심이 생겼다. 수제 과일청을 기획했다. 괜찮은학교에서 제공하는 프로젝트 수업이 아니었다. 자발적으로 팀을 꾸렸다. 윤정희 선생님께 자문을 구하니 친절하게 알려주셨다. 괜찮은학교 선생님들이 발 벗고 나서주셨다. 여기저기 홍보해 주신 덕에 목표로 했던 200만 원을 훌쩍 넘겼다. 이 과정을 거치면서 인애는 행복했다. 문제가 발생하고 힘든 일도 있었지만, 친구들과 머리를 맞대고 해결하면서 다 같이 성장하는 경험을 했기 때문이다. 그 시간이 소중하다는 걸 깨달았다. 지금은 사업가를 꿈꾸는 인애는 이렇게 고백했다.

"중학교 때부터 많은 어려움이 있었지만 돌이켜보니 지금 나 자신을 위해 필요한 과정이었던 거 같아요. 성장했고, 앞으로 점점 더 성장할 것을 믿어요. 조급하게 꿈을 찾지 않아도 되더라고요. 많은 것을 경험하고 저에 대해 돌아보니 언제인지 모르게 발견하게 되더라고요."

앞으로 인애 인생길에도 어쩌면 어려움이 찾아올 것이다. 때로는 포기하고 싶을지도 모른다. 하지만 인애가 괜찮은학교에서 경험했던 일들이 삶에 든든한 버팀목이 되어주지 않을까?

인애는 후각과 미각이 남달랐다. 그래서 물을 마시면서 이상한 냄새가 난다거나 맛이 이상하다고 말하곤 했다. 처음엔 그저 예민한 성격인 줄 알았다. 그런데 지나고 보니 그건 인애가 타고난 재능이었다. 남들보다 섬세하게 구분할 줄 아는 미각과 후각. 아마 인애도 남들보다 섬세한 감각을 자신의 단점이라고 생각하고 있었을지 모른다.

타인의 감정을 귀신처럼 알아채는 사람이 있다. 감정이 섬세하다 보니 마음에 걸리는 것도 많다. 그러다 보면 남들과 자주 부딪히게 된다. 하지만 그걸 그 사람의 잘못이라거나 단점이라고 할 수는 없다. 어쩌면 그건 그 사람이 지닌 소중한 재능일 수도 있을 테니까. 인애를 만나서 내가 배운 것이다. 겉으로 보이는 단점이 실은 놀라운 재능일 수도 있다는 것을.

나는 괜찮은학교에서 글쓰기 수업을 맡고 있다. 청소년 활동을 하다 보면 종종 청소년들이 글을 쓸 일이 생긴다. 청소년들에게 글을 써보자고 하면 고개를 절레절레 흔든다. 글쓰기가 힘들고 어렵기 때문이다. 청소년들이 글쓰기와 멀어진 것은 스마트폰과 영상문화에 길들었기 때문이기도 하겠지만 나는 글짓기 때문이라고 생각한다. 글짓기는 농사를 짓거나 집을 짓는 것만큼 전문성이 있어야 한다. 경험과 전문성이 없는 상태로 처음부터 지으라고 하면 당연히 어렵고 힘들지 않겠는가? 지어내려면 억지로 쥐어짜야 하니까.

글쓰기는 생활의 기록이다. 한 것, 본 것, 들은 것, 느낀 것, 생각한 것에 의미를 담아 기록한다. 이오덕 선생님의 가르침대로 생활에서 보고 듣고 겪은 걸 쓰는 거다. 그러니 굳이 지어내지 않아도 된다. 이런 방식으로 글을 쓰면 청소년들은 재미를 느낀다. 글을 쓰려면 '생각'을 해야 한다. 기억을 떠올리고 적절한 어휘를 고를 줄 알아야 한다. 그래서 글쓰기는 생각하는 힘을 길러주는 도구다.

글짓기는 글쓰기가 어느 정도 되면 해봄 직하다. '짓는다'라는 것은 경험을 통해 터득한 것이기 때문이다. 밥을 지을 때 우선 좋은 쌀을 고른 다음 물로 깨끗이 씻어 밥솥에 안친다. 밥이 다 되어도 뜸을 들이는 시간이 있어야 밥맛이 좋다. 농사는 어떤가? 농부의 발걸음을 들으며 벼가 자란다는 말처럼 농부의 수고로움과 흙의 양분, 바람과 비, 햇볕 등이 만나 열매가 열리고 과육이 여문다. 글도 마찬가지다. 하고 싶은 말(주제)을 글감(소재)에 담아서 자기 경험에서 가치를 건져 올릴 때라야 독자에게 공감을 불러일으킨다. 제대로 된 경험과 전문성이 길러지기도 전에 학생들은 글짓기라는 명목으로 글의 참맛을 느낄 기회를 잃어버렸다. 글을 잘 지어 독자가 전율을 일으키도록 감동을 준다는 건 얼마나 아름다운 일인가! 하지만 집을 지어본 적 없는 사람에게 집을 지으라고 할 순 없지 않은가! 기술을 익히는 과정이 필요하다. 현실을 사는 청소년들이 자신의 역량을 뛰어넘는 걸 달성하라고 강요당하는 건 아닌지 안타까워서 하는 소리이다.

글쓰기 수업에서 만난 지연이는 제법 글솜씨가 있다. 아래 내용은 지연이가 글쓰기 시간에 써낸 글인데 지연이의 허락을 받아서 실었다. 글쓰기를 하긴 해야 하는데 도무지 뭘 써야 할지 모르겠다는 생각을 관찰해서 의식의 흐름대로 써 내려간 글인데, 글맛이 있다. 쓰고 싶은 글을 쓰면 특별히 가르치지 않아도 잘 쓴다.

유난히 머리가 안 돌아가는 때가 있다. 하늘은 구름 하나 없이 파랗고 실내는 에어컨 빵빵하니 여름을 잊을 만큼 기분 좋은 냉기가 맴도는. 그래, 농땡이 피우기 딱 좋은 순간. 어떻게 시간마저 절묘하게 11시 반인지. 점심시간까지 고작 삼십 분밖에 남지 않았는데 글쓰기는 웬 글쓰기냐며 뇌는 진작 파업을 선언했고, 늦잠 자느라 아침을 걸러 엊저녁부터 공복 상태이던 배는 주인 마음도 몰라준 채 나 좀 보라며 시위하고 있다.

도저히 글이 안 써진다. 하지만 백지 내기엔 영 켕겨 의식의 흐름으로 무언가를 적어 내리고 있다.

'음, 초콜릿 먹고 싶다'

아침에 편의점에서 급히 집어 온 킨더 초콜릿이 어른거린다. 미니미한 토막 하나를 혀로 천천히 굴리면 이내 갈색 코팅이 녹아내리고 연유의 단맛이 기분 좋게 입가를 감도는 게 아주 일품인 초콜릿.

생각하니 더 배고파졌다. 역시 사람은 밥심이야. 앞으로는 잠을 줄여서라도 꼬박꼬박 아침 챙겨 먹을 테다.

아, 5분 남았다. 그냥 글 못 썼다고 할까. 뭐라 말할지 열심히 머리 굴리다 그냥 포기하기로 했다. 학교 끝나고 뭐할지나 생각해 보자.

방금 일기예보 봤더니 오늘 최고기온 28도다. 야외활동하기엔 조금 무리가 있어 보인다. 으으… 여름 진짜 싫어. 햇볕은 나 구워 먹을 듯이 매섭게 이글거리고 이따금 불어오는 바람 역시 눅눅하고 후텁지근해서 기분 나쁘다. 여름은 가히 최악의 계절이야. 그나저나 이제 겨우 유월 초입인데 벌써 이리 더워도 되나. 지구가 미쳤다. 이왕 몇십억 년 살아온 김에 80년만 더 버텨주면 좋겠다. 조금만 더 버텨라 지구야. 인간이 미안해. 아무튼 이 날씨에 밖에 돌아다니는 건 무리고, 바로 집에 간다는 선택지밖에 안 남는다. 만화카페나 노래방을 택하기엔 지금 주머니 사정이 좋지 않으므로 과감히 패스.

집에 가면 뭐하지?

1번, 책 읽기

2번, 게임

3번, 잠자기

이리 적고 나니 '참 단조로운 일상이다' 싶을 수도 있는데, 그렇지만

도 않다. 집에는 사두고 못다 읽은 책들이 탑을 이루고, 종이책이 질리거든 폰씨를 켜서 몇 번 톡톡 두드리면 하루에도 수백 수천 개의 새 소설이 업로드되어 있는 것을 볼 수 있는 참 행복한 21세기 주민이 바로 나니까. 활자 읽기도 귀찮으면 웹툰 보면 되고, 손가락 두드리기도 귀찮으면 유튜브 켜서 대충 알고리즘에 뜨는 거 누르면 알아서 화면이 휙휙 넘어간다. 생각할수록 근사하네. 귀차니스트들을 위한 황금기는 가히 지금이라 자신 있게 외쳐도 손색없지 않을까? 기술력이 더 발전하면 좋겠다. 뇌랑 컴퓨터랑 연결해서 생각만으로 모두 해결되는 세상이 오면 좋겠어.

늘 대죄로 빠지지 않고 등장하는 게 나태라는데, 개인적으로 천국의 필수 요소는 나태라 생각하기 때문에, 누가 게으르다 손가락질해도 아랑곳하지 않는다.

지연이는 나에게 글을 못 썼다고 했다. 쓴 만큼이라도 보여달라고 했던 글이다.

"잘 썼는데?"

"어? 이것도 글이에요?"

지연이는 이건 글이 아니라고 생각했던 모양이다. 내 생각에 이게 글이 아니라면 도대체 뭐가 글인지 모르겠다.

지연이는 글 쓰는 걸 좋아한다. 그런데 자기 글을 남에게 보여주지 않기로 결심했다. 속사정까지 캐묻지 않았지만 지연이가 겪었을 감정이 어떠했을지는 짐작되었다. 이 글을 모두에게 읽어줄 때 지연이가 긴장으로 떨고 있음을 느낄 수 있었다. 긴 글이지만 재미있었다는 학생들의 피드백을 듣고서야 떨림이 멈추었다.

채림이는 귀엽고 명랑하다. 나는 채림이와 같이 있으면 즐겁다. 글쓰기 수업하면서 어쩌다 원적 학교(학생이 소속된 원래 학교) 이야기가 나왔다. 원적 학교에서 채림이는 거의 말이 없었다. 그래서 첫인상이 무섭고 왠지 가까이하기 어려운 이미지였다. 가만히 떠올려보니 채림이가 괜찮은학교에 왔던 초기에는 말수가 별로 없고 잘 웃지도 않아서 다가가기 어려웠다. 채림이와 나누었던 대화를 옮겨본다.

"원래 산업정보고를 다녔어요. 친구랑 둘이 같이 다녔는데 그 친구가 자퇴하는 바람에 저만 혼자가 된 거예요. 학교가 집에서 멀고 반에서도 안 맞아서 지금 학교로 전학을 왔거든요. 집에서 가깝고 아는 친구들도 있으니까요. 전학을 온다고 친구들이 반겨줘서 이제 재밌게 학교 다닐 수 있겠다 기대했죠. 중학교 때 친했던 3명이 저랑 같은 반이 돼서 설레는 마음으로 학교에 갔는데, 일주일 정도 지나니까 기대와 달랐어요. 1년의 빈자리가 이렇게 컸던 건가 싶게 중학교 때 친했던 애들이 왠지 저를 어색하게 대하더라고요. 그게 힘들었어요."

잠시 말을 멈추었던 채림이가 다시 말을 이어갔다.

"저를 반겨줬던 3명은 이미 다른 애들과 친해져 있으니까 저는 소외되는 거 같아서, 수업은 수업대로 힘들고, 수행평가할 때도 아무 말도 못 하고 기죽어 있고, 제가 공부를 잘하는 것도 아니어서 할 수 있는 게 하나도 없는 거예요. 산업정보고에서 저도 자퇴하려고 했는데 아빠가 심하게 반대하셨어요. 그래서 엄마한테 이 학교로 전학 가겠다고 우겼어요. 중학교 때 친구들 많아서 재밌게 학교생활 할 수 있을 거라고. 엄마도 그 친구들을 알고 있어서 저를 믿고 전학 보냈는데 또 힘들어하는 모습을 보이면 안 될 거 같아서 재밌게 학교생활 하는 척했거든요, 집에서는."

속 깊은 채림이가 부모님께 걱정을 끼치고 싶지 않아서 집에서는 학교생활을 재미있게 하고 있다고 연기하는 모습이 그려지면서 안타까웠다.

"여름에 비가 많이 온 날이 있었어요. 엄마가 우산을 가지고 저를 데리러 오셨어요. 그때 말을 해야겠더라고요. 이 상태로 1년 반 넘게 더 버텨야 한다는 게 너무 힘들어서 엄마한테 말을 했죠."

"엄마가 많이 놀라셨겠네."

"많이 놀라셨죠. 근데 엄마께 말하기 전에 위탁대안학교에 대해서 이것저것 다 알아봤어요. 옆 반에 위탁대안학교에 간 애가 있다는 얘기를 듣고 인터넷으로 알아보고, 상담하면서 얘기를 들었어요. 근데 제가 선택해서 왔는데 또 위탁대안학교에 간다고 했을 때 지지해주기가 쉽지 않잖아요. 그래서 힘들게 얘기를 꺼냈고, 못 버티겠다고, 너무 힘들다고 울면서 얘기했어요. 담임선생님은 그래도 학교에 적응하는 방향으로 하길 원하셨고요. 저는 당장이라도 탈출하고 싶었거든요. 진짜 막 숨이 턱턱 막혔어요. 반에서 혼자만 덩그러니 있는 거 같고 체육 시간에도 그냥 조용히 있고, 중학교 때 친했던 애들은 내 앞에서 다른 애들이랑 왁자지껄 웃으며 놀고 있고, 그걸 보고 있는 게 너무 힘들었어요. 엄마가 다행히 대안학교를 허락해주셔서 다녔는데, 여기 오기 전부터 걱정이 엄청 많았어요. 여기서도 내가 적응을 못 하면 어떡하지? 진짜 그러면 나는 어떻게 해야 하지?"

"원적 학교에서 채림이가 친구들 사이에서는 어떤 사람으로 인식이 된 거야?"

"혼자 지내는 애. 조용한 애. 그렇게 봤을 거 같아요."

"채림이 마음속에서는 친구들하고 친해지고 싶고 어울리고 싶은 마음이 있었는데 그게 원하는 대로 되지 않아서 속상하고 힘들었을 거 같아."

"반 애들이 초반에는 저한테 말도 걸고 인스타 아이디도 물어보고 그랬거든요. 사건이 하나가 있었어요. 어떤 애가 자기랑 나랑 2학년 때 같은 반이 된 걸 보고 저랑 같이 다니자는 거예요. 그때 중학교 때 친구랑 같이 있었거든요. 그 애를 따라가면 친구가 안 좋아할 거 같아서 저를 데리고 가려던 애랑 약간 거리를 뒀어요. 오히려 나중에 걔네 둘은 친해져 있고 저는 친구를 사귈 기회가 사라진 거예요. 왜냐하면 중학교 때 친했던 세 명 외에 다른 친구들에게는 신경을 안 썼거든요. 근데 그 세 명하고도 어색해지고 나니까 저는 완전히 외톨이처럼 돼버렸어요."

"아이고 저런. 친구를 배려하느라 다른 친구 사귈 기회가 없었구나. 그 세 명 친구와는 왜 어색해졌을까? 무슨 일이 있었어?"

"왜 어색해졌는지는 기억도 안 나고 잘 모르겠어요. 아무튼 그렇게 어색한 채로 친구 없는 상태로 몇 달 정도 지내다가 세 친구 중에 그나마 저랑 좀 더 친했던 친구가 먼저 저한테 연락을 해왔어요. 싸운 것도 아닌데 왜 어색하게 지내야 하는지 모르겠다면서 풀자고 얘기하고, 그 후 풀린 건가 싶었는데 진짜 쉽게 안 되더라고요."

"괜찮은학교에 있으면서 원적 학교에 가야 하잖아. 그때 그 친구들 보기도 할 거 아냐."

"저랑 조금 더 친했다고 한 친구가 졸업 사진을 찍던 날에 먼저 인사를 하더라고요. 3학년 때도 같은 반이 됐거든요. 뒤늦게 들은 얘기인데 그 친구도 학교생활이 너무 힘들어서 병원 다닌다고, 그 친구가 아파서 한 달 동안 학교도 빠졌다는 얘기를 듣고 내가 너무 나만 생각했나 하는 생각도 들었어요. 그러면서 2학년 때 떠올려보면 너무 내가 챙김을 받기를 바랐나 싶고요. 그 친구도 2학년 때부터 힘들었대요. 근데 자기가 힘든데 어떻게 남을 챙겨주겠어요? 2학년 때는 진짜 괘씸하기도 하고 어떻게 이럴 수 있나 싶었는데, 그 얘기 듣고 나니까 안타까웠어요."

"친하다고 여겼던 친구들이 채림이를 챙겨주길 바랐는데 그러지 못해서 서운하고 괘씸한 마음이 들었고, 그 친구도 힘든 학교생활 하느라고 근근이 버티고 있었다는 걸 알게 됐구나!"

어쩌면 외부의 자극보다 내면에서 받아들이는 해석으로 인해 더욱 힘겹게 느껴질 수도 있다. 친구들이 따돌린 것도 아니고, 세상에 힘든 일이 얼마나 많은데 그게 뭐 대수냐고 생각할 수도 있다. 하지만 내면에서 벌어지는 일은 생각보다 복잡하다.

"학교생활이 더 이상 못 견디게 힘들겠다는 생각이 들었을 때 살면서 그렇게 울어본 적이 없어요. 그때 호흡 곤란이 올 정도였거든요."

"호흡 곤란이 올 정도로 그렇게 울었다고?"

"제 선택으로 전학을 온 건 맞는데 여기서도 너무 힘드니까 아빠한테 하소연했더니, 네가 이런 것도 못 견뎌내면 앞으로 뭘 할 수 있겠냐며 너무 단호하게 말씀하셔서 이 학교에 계속 있어야 한다는 좌절감으로 엄청나게 울었어요."

"너무 막막하고 절망스럽고 그런 심정이었구나! 그렇게 느꼈던 채림이를 못 봐서 그런지, 지금 채림이 표정이나 모습을 보면 전혀 달라 보이거든. 채림이는 전과 비교해서 지금은 뭐가 달라진 거 같아?"

"너무 헷갈렸어요. 분명 초등학교, 중학교 때까지만 해도 활발한 아이였는데 언제부터 이렇게 아무 말도 못 하는 사람이 된 거지? 이게 원래 나인가? 사람이 가면을 쓴다잖아요. 그러니까 나도 활발한 척했던 건가? 여기 괜찮은학교에 와서도 초반에는 진짜 조용했어요. 근데 시간이 지나면서 가면 쓴 게 아니었다는 걸 확실하게 알았어요. 제가 좀 눈치가 없거든요. 눈치가 부족했는데 이 사람한테 지금 뭐가 필요한지, 뭐를 바라는지, 그런 걸 알게 된 거 같아요."

"중요한 얘기를 했는데, 다른 사람이 뭐가 필요한지 마음이 헤아려진 거잖아. 그걸 어떻게 배우게 된 거야?"

"여기는 학년이 섞여 있으니까 후배들이 있잖아요. 저는 그 나이를 다 겪어봤잖아요. 그래서 후배가 저랑 비슷한 상황을 겪고 있으면 '얘 마음은 이렇겠구나!' 짐작되고 '이런 게 필요하겠구나!' 느껴져서 챙겨주면서 배우게 된 거 같아요."

보통 선후배가 섞여 있으면 서로 불편하다. 선배가 한마디 하면 기강 잡는 것처럼 보일 것이고 후배들은 괜히 선배의 눈치를 살피게 된다. 괜찮은학교 학생들 사이에서도 그런 불편함이 왜 없겠는가! 특수한 경우였겠지만 선배가 후배의 마음을 헤아릴 수 있고 긍정적인 분위기가 형성된다는 게 놀라웠다.

"채림이에 대해서 좀 더 알고 싶은데, 괜찮은학교에 와서 채림이가 스스로 달라졌다고 느낀 게 있니? 배웠거나 새롭게 알게 되었거나 채림이에게 도움이 된 게 있어?"

"자존감이 높아졌고 저에 대해서 좀 더 알게 됐어요. 선생님들이 가끔 저에 대해서 알려주실 때가 있거든요. 칭찬일 때도 있고 저도 몰랐던 걸 얘기해주실 때도 있는데 그런 얘기들을 들을 때 자존감이 올라오는 것 같아요."

"채림이가 몰랐던 걸 얘기해줘서 알게 되었다고?"

"옥상에 텃밭이 있잖아요. 저희가 씨를 뿌렸단 말이에요. 근데 며칠 지나서 보니까 싹이 나와 있더라고요. 그래서 '아~ 행복해!' 하고 저도 모르게 말했나 봐요. 그걸 보시곤 손유주영 선생님이 '채림이는 행복한 걸 잘 표현하는구나. 멋있어!'라고 말해주셔서 기분이 진짜 좋았어요."

채림이의 다음 말이 기분이 좋으면서도 한편 씁쓰름했다.

"선생님들이 다 좋으셔서 학교 다닐 맛이 나요. 제가 괜찮은 학교 오는 게 너무 재밌어서 주말에는 약간 아쉬운 마음도 있었거든요. 진짜 인정하기는 싫지만 그랬어요."

괜찮은학교가 만사형통은 아니다. 어쩌면 우연히 잘 맞는 사람을 만난 것이다. 인애와 지연이, 채림이를 운 좋게 잘 만난 것이다. 지금도 얼마나 많은 청소년이 고통을 삭이며 울고 있을까? 자기의 본성과 개성을 살리지 못하면서 시들어가는 청소년들이 얼마나 많을지 생각하면 안타깝고 마음이 아리다.

PART 03

삶의 주인공이 되었으면 좋겠어

장수YMCA에서 활동하면서 청소년들과 어떻게 만날까 늘 고민스러웠다. 내가 장수에 내려온 2017년 무렵에 내가 고민하던 것은 '살아가는 힘'에 관한 것이었다. 나 역시 살면서 숱한 난관에 봉착했고 좌절감에 휩싸였었다. 어렵고 힘든 과정을 거치며 지금까지 무탈하게 살아올 수 있었던 건 곁에 있는 누군가가 지지해주고 힘이 되어 준 덕분이다.

남양주YMCA를 그만두고 떠나있던 시간 동안 나 자신과 나를 둘러싼 세계를, 찬찬히 그리고 면밀히 관찰할 수 있었다. 여유 시간이 있어서였겠지만 길을 가다 쪼그리고 앉아 하염없이 풀꽃을 들여다보거나 곤충들을 관찰하며 시간을 보내곤 했는데, 그중에서 인상적인 알아차림은 개미를 관찰하면서 일어났다. 개미 떼가 줄지어 가는데 나도 모르게 장난기가 발동하여 훼방을 놓았다. 진로로 예상되는 지점에 나뭇가지나 돌멩이 같은 장애물을 놓는 것이었는데, 장애물이 생기면 개미 떼는 기어이 올라타서 내려오거나 우회하는 전략을 선택했다. 그들은 힘들고 지친다고 멈춰서 울거나 화내지 않았다. 그저 갈 길을 어떻게 갈 수 있을지에만 몰두하는 것처럼 보였다. 신기했다. 나는 장애물이 생기거나 어려움에 부닥치면 짜증이 나고 울고 싶고 털썩 주저앉고 싶었는데, 개미들이 전혀 아랑곳하지 않는 모습에 존경심마저 일었다. 그러고 보면 태양도 힘들고 지쳤다고 회전을 멈추지는 않지. '피곤하니까 하루만 쉴게' 하는 법이 없지 않은가!

전통적인 YMCA 청소년활동은 '중학Y' '고교Y'라는 이름으로 학교 안에서 만들어지고 활동이 이루어졌다. 그래서 장수에 내려와서 처음으로 만든 것이 백화여자고등학교YMCA 동아리였다. 이름이 '동그라미'였다. 회장이던 은솔이가 제안했고 멤버들의 동의로 정했다. 2년간 2주에 한 번씩 수요일 저녁에 모임을 했다. 학교에서 YMCA 활동을 이해하고 지지해주신 선생님들의 도움 덕분이었다. 2년간의 활동은 재미있고 의미 있었지만 깊은 내면에서 알 수 없는 갈망이 있었다. '과연 모임에 학생들은 얼마나 자발적으로 참여하는 걸까?' '진정으로 청소년들이 원하는 것은 무엇이었을까?' 마치 화두처럼 질문들이 가슴속을 가득 채웠다.

장수에는 중학교가 7개교, 고등학교가 5개교 있다. 중심지라고 할 만한 장수읍의 장수중학교와 장수고등학교, 장계면의 장계중학교를 제외하곤 각 학교는 학생 수로 고전해야 했다. 심지어 전교생이 11명에 불과한 중학교도 있다. 1학년이 2명뿐이다. 이런 조건과 환경에서 청소년들은 얼마나 사회적 관계를 맺고 있을까? 또 그 사회적 관계가 청소년들의 성장에 어떤 영향을 미칠까?

2019년 초에 일종의 실험을 시도했다. 작은 학교에 다니는 청소년들이 다양한 사회적 관계를 만들면 좋겠다는 마음으로 '피스메이커'라는 이름의 모임을 만들어 학교가 아닌 YMCA로 모이기로 했다. YMCA회관은 없지만 어디든 사람이 모여있으면 그곳이 YMCA라고 믿었기에 장소는 대중없었다. 그렇게 모인 청소년은 10명 남짓이었다. 주로 C중학교에 다니는 청소년들이었다. C중학교는

2018년 희망제작소와 파트너십으로 추진했던 '내-일상상프로젝트'로 인연을 맺은 뒤 지금까지 진로 탐색 활동으로 이어지고 있다.

초창기엔 한 달에 한 번 토요일에 외부로 나가는 활동을 기획했다. 청소년들에게 다양한 경험을 쌓게 하고 삶에서 '가치'를 추구하는 좋은 어른을 만나게 해주고 싶었다. 세월호 추모 기행, 5 · 18 광주민주화운동, DMZ 평화순례, 김제에서 트리하우스로 이름난 미즈노 마사유키 씨, 옥천에서 전통 놀이와 전력을 사용하지 않는 놀이기구를 만들어 운영하는 아자쌤 등을 만나서 이야기를 듣고 체험을 했다. 모두 소중한 경험들이었으리라.

YMCA 청소년동아리 활동은 본래 2주에 한 번 모이는 것을 권장한다. 그런데 한 달에 한 번으로 기획한 것은 자기검열 때문이었다. 학교와 학원에서 해야 할 일이 많고 늘 시간에 쫓기는 청소년들을 배려하기 위한 거였는데, 결과적으로 모임의 결속이 느슨해져 버렸다. 청소년자치연구소를 운영하는 정건희 선배의 제안으로 '길 위의 청년학교'에 참여하여 청소년활동론을 공부하면서 생각이 바뀌었다. 물리적인 조건, 즉 시간보다 자발적 참여도가 더 중요하다는 것을 깨달았다. 생각해보면 인생에 있어

가장 시간이 많은 시절이 청소년기다. 대학생이 되면 더 바빠지고 사회에 나가면 자신을 위해 쓸 시간은 더욱 없어지니까.

2020년에는 2주에 1회 모임을 하리라 마음먹고 있었는데 코로나19라는 강적을 만났다. 대면 모임은 꿈도 못 꿀 상황이었다. 다행스럽게도 비대면 활동으로 시작한 질문꾸러미가 소위 대박이 났다. 장수와 순창, 완주에서 50명의 청소년이 자발적으로 신청했다. 매주 한 가지 질문에 대해 자기 생각을 정리하여 사진과 글로 기록하는 이 활동을 통해 확인한 게 있었다. 자발성을 기반으로 하면 청소년활동은 저절로 된다는 것이었다. 질문꾸러미를 하면서 청소년들과 1:1로 소통하게 되었고 이 경험을 통해 청소년들과 신뢰를 바탕으로 속 깊은 관계를 맺을 수 있었다. 청소년들을 깊이 이해하게 되자 마음이 헤아려지게 되었고, 결과물보다 과정이 소중함을 진하게 느낄 수 있었다.

2021년 코로나19에 어느 정도 적응이 되면서 대면 모임을 조금씩 시도할 수 있었다. 비로소 피스메이커의 원형이 탄생한 해이기도 하다. 피스메이커는 의도치 않게 두 팀으로 시작했다. 비폭력 대화 연습 모임을 안내해주시던 노 선생님이 근무하던 B중학교에서 활동을 원하는 학생들 8명으로 한 팀이 꾸려졌고, 질문꾸러미에 참여했던 청소년과 진로수업 등으로 알게 된 청소년들에게 피스메이커 모임을 제안해서 10명가량으로 또 한 팀이 꾸려졌다. 의도하지 않았지만, 학교 안에서 이루어지는 모임과 학교 밖에서 이루어지는 모임을 비교할 수 있었다. 결론부터 말하면, B중학교는 모임이 깨졌다. 반면에 YMCA에 모인 청소년들은 활동을 해보더니 친구를 데리고 와도 되겠냐며 활동에 적극성을 보였다. 20명 규모로 확대되어 지금까지 이어지고 있다.

활동의 형식과 내용은 대동소이했다. 차이가 있다면 학교 안에서 이루어지느냐 밖에서 이루어지느냐 뿐이었다. B중학교는 수요일마다 방과 후에 학교에 가서 모임을 했고, YMCA에서는 토요일마다 공유공간인 '장수민중의집 우리동네'에 모였다. B중학교 피스메이커는 내가 학교로 갔고, YMCA 피스메이커는 청소년들이 버스를 타고 와야 했다. 후자가 불편을 감수해야 하므로 저항감이 크리라 예상할 수 있다. 그런데 실제로는 불편함을 감수하고도 모임이 계속 이어졌다. 나는 이 차이를 '자발성'과 '자기결정성'에서 찾는다.

모임 초기에 나는 끈질기게 청소년들에게 두 가지 질문을 던졌다.

"피스메이커 모임에 왜 나오는가?"

"피스메이커 모임에서 얻고자 하는 게 무엇인가?"

B중학교 청소년들의 입에서는 대답이 잘 나오지 않았던 반면 다른 그룹 청소년들은 자기 이유를 찾기 시작했다.

청소년들이 의지를 내는가, 마음을 내는가는 매우 중요하다. 마을에서 모임 장소까지 버스 타고 오는 시간은 20분 남짓이지만 마음을 내서 집 밖으로 혹은 학교 밖으로 나왔다는 것 자체에 의미가 있었다. YMCA로 오는 청소년들의 모임에서 훨씬 역동이 일어났다.

청소년들이 자기 결정성을 획득하기 위해서는 집 밖으로, 학교 밖으로 나올 수 있도록 지지해 줄 필요가 있다. 학교에서도 학생들이 학교 밖 활동을 하는 것을 꺼리지 말고, 지지하고 허용해주면 좋겠다. 그것이 마을교육 공동체라고 믿는다. 서로 상생하는 방법이다. 피스메이커 청소년활동은 이렇게 다듬어졌다. 진로, 자아 탐색, 자존감과 효능감, 도전, 평화 감수성 등 그동안 갈고닦은 것이 전부 스며들었다.

청소년활동을 하던 초기에 나는 몇 가지 실수를 저질렀는데 그중 하나가 보상이었다. 활동하면 뭔가를 주는 방식이다. 자원봉사 점수를 주거나 상품을 주었다. "이거 하면 뭐 주실 건데요?"라는 말을 듣고 자괴감에 빠졌다는 동료 활동가의 말에 마음이 아팠다. 나 역시 청소년활동이 과정이 아니라 결과에 초점이 맞춰져 있다는 걸 뼈저리게 깨달았기 때문이다. 그런 사고방식이었기에 결과 또는 실적이 잘 나오게 하려고 어떻게든 참여시키려 했다. 하지만 그건 청소년들을 나쁜 방향으로 학습시키는 방식이다. 나는 나쁜 방식의 보상 중의 하나가 자원봉사 점수제라고 생각한다. 자원봉사활동을 통해 얻는 뿌듯함은 온데간데없고 그저 점수를 따는 것이 목적인 활동으로 전락해버렸기 때문이다. 자원봉사활동이 생활기록부에 기재되지 않는다면 자원봉사활동이 어떻게 될지 눈에 선하다. 보상 자체가 나쁘다는 것은 아니다. 다만 그게 동기가 되어서는 안 된다고 말하고 싶다. 청소년활동을 하는 것 자체가 즐겁고 재미있어야 한다는 점이 더 중요하다고 말하고 싶은 것이다. 보상은 활동의 덤으로 우연히 주어질 때 더 의미가 있다. 청소년활동의 진짜 보상은 자기만족이고 뿌듯함이다.

피스메이커를 조직하고 활동하면서 면접 인터뷰를 시도했다. YMCA 청소년동아리가 만들어질 때 동아리 청소년 임원들이 후배들 면접을 보는 것이 전통적인 방식이다. 면접을 보는 건 마음가짐을 확인하는 절차다. 그런데 학교 밖 활동이 생활기록부에 기재되지 않으면서 YMCA 청소년활동도 위축되었다. 그러니 극단적으로 표현하면, 면접으로 마음가짐을 보기는커녕 청소년들에게 활동하자고 구걸하는 식이 된다. 보상을 주겠다고 한다거나 뭔가 물질적인 것을 건다. 정말 하지 말아야 할 짓이고 청소년들을 망치는 길이다.

'본질에 집중하고 바른길正道을 걷겠다.' 장수에서 청소년활동을 하는 나의 결심이다. 청소년들이 오지 않아서 모임이 안 되더라도 괜찮다. 정말 마음에서 우러나서 활동하는 청소년을 만나자! 물론 처음부터 이렇게 생각한 건 아니었다. 나에겐 두려움이 있다. 청소년 모임이 해체되는 두려움. '청소년들이 오지 않으면 어쩌지?' '이 모임이 깨지면 어쩌지?' 하는 두려움은 여전히 존재한다.

피스메이커로 몇 년간 청소년들과 함께 활동하면서 두려움을 조절하는 법을 배울 수 있었다. 늘 나 자신을 살피고 들여다본 덕분이다. 나를 살피고 들여다볼 수 있게 도와준 도구 중에 '모닝 페이지Morning Page'라는 것이 있다. 아침에 눈을 뜨자마자 떠올려지는 것을 어떤 것이든 3페이지 정도 기록하는 것이다. 잠에서 깬 뒤 45분간은 무의식의 영역과 의식의 영역 중간으로, 나의 참모습을 발견할 수 있는 시간이라고 한다. 이 방법이 궁금하다면 줄리아 캐머런이 쓴 『아티스트 웨이The Artist's Way』의 일독을 권한다.

나는 모닝 페이지를 거의 매일 쓴다. 꿈을 기록할 때도 있고, 전혀 떠오르지 않을 때도 있지만 신기하게도 내가 몰랐던 내 모습을 발견하게 되고 아이디어나 영감을 얻기도 한다. 어느 날의 기록을 보니 청소년에 대한 내 마음이 담겨 있었다. 나는 스스로 자율을 중요하게 여기고 청소년들이 자유롭기를 바란다고 여겼는데 의외로 내 마음 깊은 속에 통제 욕구가 있다는 걸 발견했다. 그러고 보면 청소년들과 뭔가 기획하거나 결정할 때 미묘하게 나의 의지가 작용하고 있음을 알아챌 수 있었다. 내가 원하는 방향으로 유도하거나 주도권을 내가 가지는 방식으로, 미묘하지만 상황을 통제했을 때 청소년들의 반응이나 호응도는 그다지 좋지 않았다. 상황을 통제하지 않고 불안함을 내려놓고 주도권을 청소년들에게 넘겼을 때 활동이 생동했다는 것도 떠올랐다. 이런 경험을 통해 나 역시 배우고 성장한다. 내면의 목소리를 잘 들을 때 삶의 주인공으로 한 발 더 가까이 다가간다.

인간의 내면에는 강한 자아가 있다. 프로이트는 에고ego라고 이름 붙였다. 사람은 에고를 지키고 싶어 한다. 자존심을 지키고 싶어 하고 평판을 지키고 싶어 한다. 상황을 통제하고 싶어 한다. 하지만 통제하면 할수록 자존감은 낮아지고 평판을 잃게 되며, 상황은 꼬이고 악화된다. 에고의 목소리를 따랐을 때 치러야 하는 대가다. 에고와 다른 목소리도 있다. 에고와는 달리 내어주고 내려놓으라는 목소리다. 어떤 이들은 이것을 '참자아'의 목소리라고 부른다. 나는 에고도 참자아의 일부라 믿고 있고 이와 관련해서 하고 싶은 말이 많지만, 여기서 구구절절하게 설명하는 건 주제에서 벗어나므로 넘어가겠다. 어떤 게 에고의 목소리이고 어떤 게 참자아의 목소리인가? 내 나름의 기준은 가슴이 환해지는지 아닌지다. 마음속에서 들리는 어떤 목소리를 선택했을 때 마음이 찜찜하고 불편하다면 보류하거나 선택을 철회한다. 마음속에서 들리는 어떤 목소리를 따랐을 때 마음이 넓어지고 환해지면 그 선택을 밀고 나간다.

청소년활동이 잘되지 않으면 어쩌나 하는 두려움에서 벗어날 수 있었던 것도 내면의 목소리를 따랐기 때문이다. 그러면서 아이디어들이 하나둘씩 떠올랐고, 청소년들과 실험해 보는 중이다. 그중 하나가 바로 인터뷰다. 처음 시작할 때 면접 인터뷰를 하고 연말에 평가 인터뷰를 한다. 내년부터는 석 달에 한 번 정도 인터뷰를 하려고 마음먹었다. 면담 혹은 상담을 하자고 제안하면 청소년들은 긴장한다. 그도 그럴 것이, 이제까지 좋은 일로 면담하거나 상담하지는 않았을 것이기 때문이다. 처음 인터뷰할 때도 청소년들은 무척 긴장했다.

인터뷰의 효과는 컸다. 적어도 나에게는 그랬다. 인터뷰를 하기 전까지는 활동을 중심에 두었다. 많은 인원이 참여하면 잘되었다고 평가했다. 인원이 적으면 왠지 내 책임인 것 같고 잘 안된 것 같아서 마음이 쪼그라들었다. 그런데 인터뷰를 하면서 개개인의 솔직한 생각과 마음을 이해할 수 있었다. 그리고 청소년들이 나에 대해 갖는 부담과 거리감도 줄어들었다. 인터뷰를 하면서 청소년들이 위안받기도 하고 내가 격려받기도 했다. 그래서 청소년활동에서 중요한 것이 청소년의 마음을 헤아리고 듣는 것이라는 걸 깨닫게 되었다.

청소년들이 피스메이커에 대해 어떻게 생각하고 있을지 궁금해서 물어보았더니 이런 대답이 돌아왔다.

"청소년들이 하고 싶은 활동을 스스로 주도하도록 지원해 주는 곳."

"내가 하고 싶은 것을 하면서 의견을 표현하고, 그러면서 점점 생각을 기르는 곳."

"피스메이커는 놀이터죠. 청소년들이 모여서 같이 놀고 친구를 사귀는 곳이에요."

"학교에서는 할 수 없는 것, 학교에서는 배울 수 없는 것을 여기서 할 수 있어요."

피스메이커 청소년들이 모이는 곳이 바로 YMCA다. 청소년들이 자신의 가치를 발견하고 표현하며 타인을 헤아리는 모습을 목격할 때 내가 이 일을 하길 참 잘했구나 싶고 뿌듯하다. 인생길이 가뿐하고 신바람이 난다.

PART 04

대견하다, 대견해!

캠프를 앞두고 미경이한테서 전화가 왔다. 초등학교 5학년 때부터 지금까지 6년째 봐 온 청소년이다.

"쌤, 큰일 났어요."

나는 속으로 코로나 확진이라도 된 걸까? 혹시 무슨 사고를 당한 걸까? 불안한 마음이 들었다.

"무슨 일인데?"

피스메이커 캠프에 가기로 했는데 캠프 신청서류와 부

모님 동의서를 어디에 뒀는지 못 찾겠다는 이야기였다. 그게 없으면 캠프에 못 가는 거 아니냐며 큰일이라는 것이었다. 속으로 웃음을 꾹 눌러 참았다. "미경아, 그건 큰일이 아니야. 서류는 다시 작성하면 돼"라고 얘기해줬더니 미경이는 "와! 엄청 다행이다! 다행이에요!"라며 연신 기뻐하는 목소리다.

언뜻 별일 아닌 해프닝에 불과하지만, 나에게는 의미 있는 장면이다. 왜냐하면 초등학생 때부터 보아 온 미경이는 늘 표정에 변화가 없이 착했고, 감정표현에 서툴러서 동생들이 함부로 대하기도 했으며, 절대로 먼저 연락하는 법이 없었기 때문이다. 예전 같았으면 막상 닥쳐서 캠프 당일에 '저, 동의서 없는데요?' 이랬을 것이다. 미경이가 나에게 먼저 전화를 걸었다는 것 자체가 반가웠고, 자기표현을 하게 되었다는 게 기특했다.

또 하나 알게 된 것이 있다. '나로서는 큰일이 아닐 수도 있지만 미경이 입장에서는 크게 느낄 수도 있겠구나! 청소년의 마음을 활동가 처지에서 생각할 일이 아니구나!'

내 입장에서 생각했다면 '웬 호들갑이냐?' '나이가 몇 살인데 그것도 하나 못 챙기냐?'라며 나무랐을 것이다. 일단 청소년이 불안해한다면 안심시키는 게 첫 번째다. 문제를 어떻게 풀지, 혹은 어떤 말을 해줄지 그것은 두 번째다. 문제해결부터 하려고 하면, 준비되지 않은 상태에서 받아들일 리 만무하다.

크기는 비교 때문에 가늠이 된다. 절대적인 것이 아니라 상대적이다. 크다고 느껴지는 것은 내가 가진 기준보다 큰 것이고, 작다고 느끼는 것도 마찬가지다. 청소년 시기는 기준이 설정되는 시기라고 생각한다. 그러기 때문에 다양한 경험을 통해 자신의 기준이 설정될 수 있도록 안내해주는 것이 필요하다. '이건 큰 거야' '저건 작은 거야' 이런 식으로 어른이 정해주면 계속 어른 말에 의존할 수밖에 없고 혼란만 느낄 뿐이다.

미경이와 관련된 에피소드가 또 하나 있다. 호남과 영남의 YMCA 회원들이 매년 6월 25일에 지리산 노고단에 모인다. 6·25 전쟁과 같은 비극이 다시 일어나지 않기를 바라며 우리나라가 좀 더 평화로워지기를 기원하는 마음으로 평화순례길을 걷는 것이다. 2022년 6월 25일은 마침 토요일이었다. 청소년들과 노고단에 꼭 한번 같이 가고 싶었기에 좋은 기회라고 생각했고, 청소년들은 '흔쾌히'는 아니었지만 내 얼굴을 보고 동의해 주었다.

성삼재 주차장까지 차로 이동해 노고단으로 오를 준비를 하고 있는데 미경이가 슬리퍼를 신고 온 걸 발견했다. 아차! 나도 모르게 뜨악한 표정으로 미경이를 바라보았다. 마음속으론 '슬리퍼 신고 못 올라갈 텐데. 운동화 신고 오라고 몇 번이나 일러두었건만. 어이구!' 속이 부글부글 끓었다. 길이 험하지 않으니 슬리퍼를 신고라도 못 오를 건 아니겠지만 난감했다.

내 표정을 보았는지 미경이는 "저는 괜찮아요. 슬리퍼가 더 편해서요. 슬리퍼 신고도 많이 걸었어요"라며 자신만만하게 슬리퍼 신고라도 올라가겠다고 했다. 하지만 얼마 못 가서 다리가 아파 못 걷겠다며 울상을 지었다. '어떻게든 데리고 올라가야 할까? 올라가지 말고 아래에서 기다리라고 할까?' 마음속으로 갈피를 잡을 수 없었다. 억지로 데리고 가고 싶지는 않았다. 그리고 솔직히 포기하는 마음이 들었다. 평상에 앉아 있으라고 하곤 나 혼자 오르기 시작했다. 이미 일행은 훨씬 앞서 있었고 다른 청소년들도 챙겨야 했으므로 부지런히 올라갔다.

대피소에 도착하니 일행들이 쉬며 간식을 먹고 있었다. 무리의 사람들을 눈으로 훑으며 장수의 청소년들을 찾아보았다. 저쪽에서 손을 흔들기에 다가갔다.

"미경이는요? 같이 안 왔어요?"

청소년들의 눈초리가 느껴졌다. 나는 짐짓 허공을 응시하며 말했다.

"미경이는 못 올라올 거 같아. 슬리퍼 신고 오기 힘들지."

청소년들은 재차 다그치듯 물었다.

"미경이를 버리고 오신 거예요? 어떻게 그러실 수 있어요?"

청소년들은 장난스레 말했지만, 마음 한편엔 미안함이 올라왔다. '결국 자기 하기 나름인 거지. 여기까지 못 올라온다면 거기까지인 거야.' 속으로 합리화하는 목소리에 귀를 기울이며 가져온 간식을 청소년들에게 나눠주고 있는데, 저 멀리서 미경이 모습이 보였다. 안 그래도 하얀 얼굴이 더 하얘져서 헉헉거리며 올라오는 모습에 나도 모르게 "미경이다!" 외쳤다. 청소년들은 미경이에게 몰려가더니 얼싸안고 격려해주었다. 그 모습을 보니 아까까지만 해도 포기하는 마음이었는데 다시 대견한 마음으로 바뀌었다. 미경이에게 물었다.

"미경아, 어떤 마음이 여기까지 올라오게 한 거야?"

"너무 힘들어서 평상에 앉아 있는데요. 올라갔다가 내려오는 사람들이 보이더라고요. 그때 꼬마들도 있었어요. 저렇게 어린아이도 올라갔다 내려오는데 내가 여기서 주저앉으면 왠지 내 인생이 포기 당하는 거 같았어요. 마음속으로 '내가 이 정도도 못 하면 내 인생에서 뭘 할 수 있어?' 하는 생각이 계속 들더라고요. 그래서 조금 올라가고 쉬고, 조금 올라가고 쉬고 하다 보니까 올라가지더라고요."

울컥했다. 미안했다. 일행과 함께 오르면 그나마 수월했을 텐데 혼자서 올라오면서 얼마나 힘들었을까? 포기하지 않는 마음! 인생길을 가다가 지쳐서 쓰러질 수는 있다. 체력을 회복하면 다시 갈 수 있다. 하지만 마음으로 포기하면 그건 진짜 끝이다. 미경이가 마음으로 포기하지 않은 경험은 미경이 앞날에도 힘이 되어줄 것이라 믿고 싶다.

PART 05

너희가 정말 잘되었으면 좋겠어

앞서 말했던 인터뷰를 하면서 나의 내면이 충만해졌다. 청소년들도 대화가 즐겁다고 했다. 짧으면 한 시간, 길면 두 시간이 훌쩍 넘어가기도 했다. 청소년들이 마음을 열고 솔직하게 마음을 표현해줘서 고마웠다. 아래는 청소년들과 인터뷰하면서 나눴던 이야기를 정리한 것이다.

열일곱 살 유진이는 일상생활에서 평화롭지 못했다. 유진이는 마음의 안정을 찾고 싶고 의미 있는 활동을 하고 싶어서 피스메이커에 참여했다. 열여섯 살 혜진이와 열다섯 살 서윤이는 내가 권유해서 시작했다. 혜진이의 권유로 유진이가 피스메이커에 들어왔고, 유진이의 추천으로 미경이도 합류했다. 유진이와 미경이는 유치원 때부터 친구였고 지금까지 우정을 이어오고 있다. 함께 활동하면서 유진이는 마음의 평화를 찾았는지, 미경이와 혜진이, 서윤이는 어떤 마음의 변화가 있었는지 궁금했다.

"먼저 피스메이커 활동을 하겠다고 마음먹은 이유를 들어보고 싶어. 미경이가 먼저 말해볼래?"

"주말에 집에서 핸드폰만 보니까 무기력해지는 거 같아서 뭐라도 꾸준히 할 수 있는 게 있으면 좋겠다고 생각했고, 여러 가지 활동을 하는 게 저에게 도움이 될 거 같아서 들어왔어요."

"미경이는 피스메이커 활동이 도움이 될 거 같다고 이야기했는데, 참여했던 활동 중에 미경이에게 도움 된 게 있었니?"

"사회문제 토론하면서 서로 의견을 나누는 게 도움이 되었어요. 제 의견을 말하다 보면 논리적으로 말할 수 있게 되고, 다른 사람의 의견을 듣다 보면 '아! 저렇게 생각하고 있구나!' 하면서 내가 생각하지 못한 점을 알게 돼요. 또 내 의견을 말하는 것도 좋지만 다른 사람들의 이야기를 듣다 보니 듣는 실력도 느는 거 같아요."

"듣는 것도 실력이 필요하구나!"

"저는 그렇게 생각해요. 잘 못 듣는 사람들이 많으니까요."

"다른 사람의 이야기를 들으면서 내 생각이 확장되었다고 이해할 수 있겠네? 토론하거나 말하고 듣는 것에 언제부터 관심을 가졌어?"

"작년에 고등학교 올라오기 전에 10월쯤인가, 내가 말하는 걸 잘할 수 있다고 느꼈고 글 쓰는 것에도 관심을 가지게 되었어요. 지금까지 쭉 하다 보니까 실력도 늘고 재미도 있어서 이런 쪽으로 진로를 정하면 어떨까 생각해보기도 했어요."

"작년이면 중학생 때였네. 계기가 있었던 거야?"

"중학생 때까지는 내 주장을 펼칠 상황도 아니었고 주변 환경도 아니었고, 내가 이런 걸 잘하고 흥미가 있다는 것도 몰랐어요. 공간과 환경이 바뀌고 나서 내 주장을 펼칠 수 있고 내가 하고 싶은 걸 할 수 있으니까 내가 뭘 좋아하고 뭘 잘하는지 알게 되더라고요."

"장소와 환경이 바뀌었다는 건 어떤 뜻이야?"

"제가 중학교에서 친구들과 관계가 좀 안 좋았는데요. 그래서 자존감이 많이 낮아졌어요. '나는 이러고 싶은데' '내 마음이 이런데' 나의 마음을 말로 표현할 수 없고 주장을 펼칠 수도 없었어요. 그래서 중학교에서는 말을 거의 안 했어요. 그러다가 대안학교에 갔더니 선생님들이 내 얘기를 잘 들어주셨어요. 그래서 마음도 편안해져서 말을 하는 횟수가 늘고 어휘력도 늘더라고요. 선생님들이나 언니들이 내 얘기를 잘 들어주니까 마음이 편해지면서 내 주장을 펼칠 수 있겠구나 생각했고, 지금은 토론하고 말하고 글 쓰는 게 재미있어요."
"공간과 환경이 달라졌다는 게 그 의미였구나! 편안하게 대해줘서 말도 잘하게 되었고, 지금은 말하고 글 쓰는 게 재미있다는 말이 반갑고 고맙다."

"유진이 이야기도 들어보자. 마음을 평화롭지 못하게 만드는 걸림돌이나 어려움이 있었는지 이야기해 줄 수 있어?"
"학교 문제가 있는 거 같아요. 제가 학교를 별로 안 좋아해요."
"학교가 유진이 마음이 평화로워지는 데 걸림돌이 되었다는 건 구체적으로 어떤 거야?"
"저를 안 좋게 생각하는 학생이 있었다든지, 그런 쪽인 거 같아요."
"학생들 사이에서 유진이가 이해받지 못하는 느낌이 들어서 힘들었다는 얘기로 들리는데, 유진이는 유진이 마음을 잘 이해해 주고 마음이 통하는 사람들과 같이 있고 싶어 하는 거 같아. 학교생활도 학급에서 마음이 통하는 사람이 있으면 마음이 평화로워질 거 같은데 그러지 못해서 어려움이 있다는 말

같은데, 그게 맞니?"
"네, 맞아요."
"그러면 미경이나 유진이에게 긍정적으로 영향을 준 사람이 주변에 있었는지 이야기해 줄 수 있을까?"

미경이가 먼저 입을 뗐다.

"제가 먼저 얘기할게요. 저는 인복이 참 좋다고 생각해요. 사람 만나는 데도 운이라는 게 필요하잖아요. 좋은 사람을 많이 만나서 고마움을 느껴요. 그런데 또 다 좋은 사람일 수는 없잖아요. 예전 선생님들과 지금 저의 고마운 분들과 차이점이 있다면 예전 선생님들은 저를 이해하지 않았다는 거예요. 예전 선생님들은 제가 결석하거나 지각을 하면 결과만 생각했거든요. 그런데 괜찮은학교 선생님들은 왜 늦었는지 물어봐 주시고, 제가 힘들어서 학교에 안 갔다고 하면 이해해 주셨어요. 근데 다른 선생님들은 그런 이해는 없고 저의 겉모습과 행동만 보고 평가하고 판단해요."
"유진이는 어때?"
"저한테 영향을 준 어른이 딱 한 분이 있어요. 2월에 거창에 워크숍 갔을 때 강의하셨던 분 있잖아요."

"표경흠 선생님?"

"네. 그분한테 좋은 영향을 받았던 거 같아요. 선생님이 하시는 말이 제가 평소에 했던 생각이랑 너무 비슷했거든요."

"나도 기억나. 그때 표경흠 선생님이 얘기했던 게 우리나라 교육 과정이 질문하는 법을 가르치지 않는다는 거였지. 우리가 왜 공부하는지, 왜 사는지, 나란 존재가 누구인지, 세상에 왜 왔는지, 이런 질문 말이야. 사실 이런 질문이 되게 중요한데 학교에서는 그 질문에 대해 생각해보라고 하지 않으니까. 'Why?'라고 질문하고 '생각'을 하며 살자고 이야기해줬던 게 기억나는데, 유진이가 평소에 하던 생각들과 공감이 많이 됐나 보다."

"네."

장수에서는 학교에 가기 싫다는 말을 자주 듣는다. 요즘엔 조금씩 달라지고는 있지만 학교 공간은 대체로 네모반듯하고 칸칸이 나뉘어 있는 감옥을 연상시킨다. 어쩌면 외형과 형식부터 학생들의 거부감을 사는 건 아닐까? 그나마 학교에 넓은 운동장이 있어서 다행이라고 생각했었다. 김누리 교수님 강의를 듣기 전까지는 그랬다. 유럽에는 우리나라 같은 형태의 학교가 없다. 널찍한 운동장과 구령대가 있는 형태의 학교는 군사학교가 유일하다. 굳이 학교에 운동장을 만들 필요가 없고, 체육활동은 체육시설에 가서 하면 된다. 그러고 보면 운동장과 구령대는 일본 제국 식민지의 잔재다.

덴마크의 학교는 학생 수가 150명을 넘지 않는다고 들었다. 이유가 있다. 사람을 머릿속으로 기억할 수 있는 최대한의 숫자가 150명이기 때문이다. 150명이 넘어가고 200명, 300명 되면 교사가 학생을 기억하지 못한다. 교사가 학생들을 기억하도록 시스템을 만든 거다. 그런 걸 보면 교사가 학생을 어떻게 대하는지 그리고 어른이 청소년을 어떻게 대하는지가 중요하다. 이런 이야기를 들려주면 학생들은 신기하다며 그런 학교라면 다니고 싶다고 말한다. 진짜로, 우리나라에도 이런 학교가 꼭 있었으면 좋겠다.

"피스메이커 활동하면서 일 년 전에 비해 달라진 게 있니? 이건 자신이 자신을 못 볼 수도 있으니까 너희가 서로 봐준다면 어떠니?"

이번에도 미경이가 먼저 입을 열었다.

"피스메이커 모임할 때 돌아가면서 자기 얘기를 하잖아요. 유진이는 힘들었던 이야기를 솔직히 꺼내요. 나 같으면 숨기고 싶었을 텐데, 힘든 걸 다른 사람들에게 이야기하는 게 참 대단하다고 느껴졌어요. 그리고 내가 생각하지 못했던 부분을 유진이가 짚어서 이야기해 줄 때가 있어요."

"미경이가 미처 생각하지 못한 걸 유진이가 짚어줄 때가 있구나. 혹시 어떤 이야기였는지 얘기해줄 수 있어?"

"사회문제를 주제로 학교폭력 문제를 얘기할 때였어요. 저에게는 좀 흑백 논리가 있어요. '그건 아니고 이게 맞아' 이런 식인데 유진이는 계속 저의 편견과 고정관념을 깨주는 거 같아요. 제가 현실적이라면 유진이는 공상이나 상상을 많이 해요. 그런 면에서 잘 맞는 거 같아요. 제가 고집이 좀 세거든요. 너무 현실적이어서 고집이나 편견 같은 고정관념이 잘 생기는데 유진이 덕분에 내 생각이 옳지 않을 수 있다는 걸 알게 돼요."

"유진이가 보는 미경이는 어떠니? 어떤 게 달라진 거 같아?"

"미경이는 자존감이 높아진 거 같아요. 가끔 미경이가 자책하면서 '나는 왜 그러지?' 할 때가 있어요. 그럴 때마다 옆에서 '네가 그렇지, 그게 너인 걸 어쩌겠냐?' 이렇게 말해주거든요. 미경이가 상처받을 수도 있는데, 맞장구치면서 '그래, 이게 나인데 어쩌겠냐' 그런 식으로 받아주더라고요. 그럴 땐 자존감이 많이 높아졌구나, 느끼죠. 그리고 미경이가 발표할 때 정말 멋있어요."

"유진이하고 저는 성격이 완전 극과 극이에요. 뭐랄까, 유진이는 자기애가 엄청 높고 저는 엄청 낮아요. 지난번에 피스메이커 모임에 샛별쌤이 오셔서 『균형』이라는 그림책을 읽어줬잖아요. 그게 딱 맞는 거 같아요. 서로 성향이 다른 사람이 만나서 균형을 이뤄요."

"나도 미경이가 참 잘 컸구나 싶었던 적이 있어. 그거 말해줘도 될까?"

"네, 뭔데요?"

"너희를 빵집에서 우연히 만났던 거 기억나니? 유진이 동생 생일이라고 미경이가 케이크 사준 적 있었잖아. 그때 좀 놀랐어. 물론 친구 동생한테 케이크를 사줄 수도 있지. '가족도 아닌데 왜 이렇게 잘 챙겨주니?'라고 물었을 때 미경이가 '친척들한테 용돈을 많이 받았어요. 여유가 생겼을 때 다른 사람한테 베풀어야죠'라고 했던 말이 참 인상적이었어. 말만 번지르르하게 하고 행동은 안 하는 사람이 많잖아. 지리산 평화순례 갔을 때도 미경이한테 놀랐지. 그때 슬리퍼 신고 왔잖아. 속으로 산을 오르는 사람의 자세인가 싶었거든. 미경이가 포기하지 않고 끝까지 최선을 다한 게 참 보기 좋았어. 그리고 미안했어. 그때 미경이를 혼자 두고 올라간 게 마음에 걸렸거든."

"아유, 괜찮아요."

미경이가 해맑게 미소 짓는다.

"미경이도 유진이도 이제 17년 살아온 인생인데 그걸 가지고 인생을 평가하기는 어렵겠지만 지금까지 인생이 어땠었고 앞으로 인생을 어떻게 살고 싶은지, 삶에 대해 생각해 본 게 있으면 들어볼 수 있을까?"

이번엔 유진이가 먼저 말을 꺼냈다.

"저는 지금까지 제 인생에서 후회한 건 없는 거 같아요. 잘못한 것도 있지만 저의 선택이었으니까요. 앞으로도 나답게 살고 싶어요."

미경이가 말을 이었다.

"저는 제가 엄청 불행하게 살아왔다고 생각했거든요. 왜냐하면 충격이 큰 기억이 오래 남잖아요. 안 좋은 기억들이 많았는데 그런 것만 계속 생각하다 보니까 내 인생이 불행한 거 같았어요. 어디선가 읽었던 거 같은데 '사소한 것에서 우리는 행복을 느낀다' 뭐 이런 말이었는데, 생각해 보니까 아픈 기억들 속에서도 행복한 날들이 있었더라고요. 그런데 그때는 너무 사소한 거여서 그게 행복한 건지도 몰랐어요. 지금은 어떤 게 달라졌느냐면요. 예전 같으면 몰랐을 텐데 그걸 깨닫고 나서 이 순간이 소중하고 행복한 거예요. 큰 걸 깨달은 거 같아서 기분이 좋고 앞으로도 사소한 것에 행복을 느끼는 사람이 되고 싶어요."

"미경이, 유진이는 충분히 행복할 자격이 있는 사람이고 더 행복할 거야. 피스메이커 모임에서 내가 이끌어 갈 때도 있지만 내가 여러분한테 배우는 게 많아. 선생님이라고 해서 학생들을 가르치기만 하는 건 아니라고 생각해. 학생들한테 배우는 게 있으니까. 그걸 여러분도 알아주면 좋겠어."

혜진이와 서윤이는 C중학교에서 진로수업으로 만나서 피스메이커 모임을 제안했었다.

"혜진이는 피스메이커 활동하면서 대화하는 방법이나 사람들과 교류하는 걸 배우게 됐다고 했었잖아. 어떻게 배운 거야?"

"저희가 작년에 프로젝트로 장수군수님, 경찰관님, 소방관님들을 만났잖아요. 솔직히 청소년 입장에서 어른들을 만나면 거리감이 있어요. 면사무소에서 군수님 만나겠다고 신청할 때도 되게 떨렸는데, 막상 면담하고 우리 이야기를 꺼낼 수 있어서 기분이 좋았어요. 군수님이 우리 얘기를 들어주는 것 자체가 좋았던 거 같아요. 그 뒤로 반영되거나 달라진 건 없어서 실망스러웠지만요. 시작이 어려웠지, 그 뒤로 경찰관님, 소방서 센터장님, 소방관님 만나는 건 덜 떨리고 할 만했어요. 어른들이 우리 얘기를 진지하게 들어주셔서 좋았어요. 그리고 순창 청소년들이랑 교류할 때, 처음에 되게 서먹서먹했잖아요. 청소년들끼리 대화도 잘 안 하고 그러다가 바다 들어가서 놀면서 조금씩 장난치면서 친해지게 되었거든요. 저희도 인간관계가 힘들어서 어떻게 관계를 맺어야 하는지 잘 모르니까 YMCA 활동하면서 그런 걸 배우게 되었던 거 같아요."

"서윤이는 어때?"

"어린이날 행사 때 봉사활동을 했잖아요. 저는 초등학생일 때 늘 받기만 했는데, 올해는 제가 직접 동생들에게 페이스페인팅 그려주었던 게 색다른 경험이었어요."

"서윤이가 동생들을 위해서 뭔가 해주는 경험이 색달랐구나. 또 하고 싶은 얘기가 있니?"

"동네에서 마을학교를 한다고 동생한테 들었어요. '그게 뭐지?' 궁금해서 가보고 싶었어요. 동생이랑 저번 주에 가봤는데 마을 지도 그리는 것 도와주고 왔거든요. 초등학교 저학년 아이들도 저를 되게 좋아해 주고, 제가 그림 그리는 것 도와줄 수 있어서 뿌듯하고 그래서 앞으로도 계속 갈 거 같아요."

"서윤이 네가 먼저 관심을 가지고 갔다는 거네? 집이 좋아서 집순이이고 무척 귀차니스트인데 신기하네? 어떻게 갈 마음이 생겼어?"

"피스메이커 덕분이죠."

서윤이가 수줍게 웃는다.

"다른 이야기를 해보고 싶은데, 혹시 학교생활이나 집에서나 일상에서 겪는 어려움 같은 건 뭐가 있을까? 혜진이는 자유롭게 살고 싶다고 했잖아. 자유롭고 싶은 걸 방해하는 걸림돌은 뭐야?"

"어른들의 고정된 생각? 그런 게 저를 막는 거 같아요."

"혜진이를 충분히 이해해 주지 않는다는 뜻일까?"

"그렇다기보다는요. 어른들은 저랑 살던 시대가 다르고 아무래도 생각이 좀 다르잖아요. 시대도 달라졌고 사람마다 생각이 다 다른데 제 생각을 받아들여 주시기보다는 어른들의 생각을 강압적으로 밀어붙이실 때 힘들어요."

"'어른 말을 들어야 한다' 이런 말을 들을 때 혜진이는 어떤 기분이 들어?"

"내 인생인데, 내가 하고 싶은 대로 살고 싶은데, 내가 어디 가서 사고치겠다는 것도 아닌데, 나를 못 믿어주시는 게 너무 속상하고 짜증이 나요."

"혜진이 마음이 되게 답답했겠구나. 서윤이는 어떠니? 서윤이에게 걸림돌은 뭐야?"

"아빠랑 친척들이 제가 공부 잘하기를 원하시는데 그걸 강요하시는 편이에요. 하고 싶은 것을 못 하고 공부를 열심히 해야 해서 힘들어요."

"하고 싶은 것보다는 공부를 잘하라고 말씀하시니까 서운하기도 하고 답답하기도 하겠다. 서윤이가 하고 싶은 건 뭔지 말해줄 수 있어? 어떤 걸 하고 싶어?"

"그림을 배우고 싶어요. 그리고 색다른 걸 해보고 싶어요. 손으로 만드는 수공예라든가 카페에서 음료수 만드는 거, 그런 것을 해보고 싶은데 공부만 해야 해요."

"혜진이랑 서윤이 둘 다 하고 싶은 게 있는데 가로막거나 방해되거나 걸림돌이 되는 이야기들을 해줬잖아. 나 또는 부모님, 학교 선생님을 포함해서 어른들이 너희에게 어떻게 대해 주면 좋겠어?"

혜진이가 상기된 표정으로 나를 바라보았다.

"자유롭게 놔뒀으면 좋겠어요. 뭘 하든 일단 해보고, 만약 후회되면 그때 바꿔도 되거든요. 제 생각은 듣지도 않으시고 무작정 이래라저래라 하시니 누가 좋아하겠어요? 선택을 한번 믿어주고, 거기서 안 되면 그때 도움을 주면 좋겠어요. 오늘 학교에서 자살 예방 교육을 받았거든요. 학업 때문에 자살하는 사람이 많대요. 공부가 전부가 아닌데 앞으로 교육 과정은 더 힘들어질 거 같고…. 이런 말 하면 안 되는 줄 알지만, 세상이 미친 거 같아요. 청소년들이 공부 때문에, 친구 관계 때문에 힘들어서 자살률이 높아지고 있고, 지금 대한민국이 세계에서 자살률이 1위인데 계속 입시 위주로 이런 식으로 가면 청소년들이 남아나지 않을 거 같은 거예요. 인구가 삼각형으로 할머니 할아버지들이 적고 어린이, 청소년, 청년들이 아래에 많아야 하는데 지금은 역삼각형이 돼 있잖아요. 고령화 시대에 청소년들 자살률이 높아지면 결국 인류가 망하는 거 아닐까요? 공부만 한다고 하면 어른들은 좋아하죠. 자식이 잘됐으면 좋겠으니까.

근데 잘됐으면 좋겠다는 그 희망 때문에 청소년들이 사라지고 있는 거잖아요. 그걸 어른들이 못 본척하는 거 같아서 속상해요. 저희가 봤을 때는 싹 다 뜯어고쳤으면 좋겠어요."

1년 넘게 혜진이를 봐왔으면서 처음으로 혜진이의 속마음을 듣게 되었다. 늘 자유롭고 싶다고 노래를 부르길래 그저 그런가 보다 하고, 사춘기 시절 누구나 하는 이야기로 치부했던 내 마음이 부끄러웠다. 이렇게 깊은 고민을 하고 있었구나! 몰라주어 미안하다. 혜진아!

"어른들도 각자 선택을 하잖아요. 저희도 직접 선택하게 했으면 좋겠어요. 그런 경험이나 기회가 많아야 저희가 어른이 되어서도 끝까지 버티지 않을까요? 지금 같으면 못 버틸 거 같아요. 자유롭게 놔뒀으면 좋겠어요. 부모님이나 어른들 생각도 이해해요. 나쁜 길로 갈 거 같으면, 그럴 때만 제지해 주시면 저희도 따르거든요. 그런데 시작도 못 하게 무조건 제지하려고 하니까요."

자녀와 청소년을 바람직한 길로 이끄는 것은 어른으로서 당연하게 해야 할 역할이다. 신뢰가 전제되어 있을 때 청소년들도 자신들을 바람직한 길로 이끌기 위한 제재나 간섭을 허용한다. 처음부터 규제하고 간섭하는 건 청소년들을 믿지 못하는 반증이다.

"만들어놓은 길로만 가라고 하니까 선택지가 없어요. 어른들은 안정적인 직업을 원하시거든요. 안정적인 직업이라도 저한테 맞지 않으면 진짜 너무 싫을 텐데, 평생을 버텨야 한다는 게 너무 싫어요."

자녀가, 학생이 맞지 않는 옷을 입고 평생 버티기를 바라는 부모와 교사는 없을 것이다. 그럼에도 그 길로 내몰고 있다는 게 참 가슴 아프다. 어른들이 어린이와 청소년의 이야기에 귀를 기울여주면 좋겠다. 지금이라도 귀를 기울여야 한다.

"다른 질문을 해볼게. 어른들에 대해서 실망한 적이 있니?"

서윤이가 조심스럽게 말문을 열었다.

"초등학교 6학년 때 담임선생님이 무슨 일 있으면 말하라고 했어요. 해결해 준다고. 그때 남자애 중에서 제 허락 없이 몸을 만지고 그랬던 애가 있었어요. 저만 그런 게 아니라 다른 친구도 당한 게 있어서 같이 용기 내서 제가 선생님께 말했어요. 언제든지 말하라고 해서 용기 내서 말했는데 사과도 못 받고 그냥 아무 일 없다는 듯이 흐지부지 끝나버렸어요. 뭔가 너무 너무 불안하고 속상하고 아직도 불안해요."

꺼내기 어려운 이야기였을 텐데 서윤이가 용기를 내었다. 대견하면서도 놀랍고 분했다.

"불안한 마음에 대해 말해줄 수 있니?"
"또 그런 일이 생길까 봐, 또 흐지부지될까 해서요."
"그렇구나. 그래서는 안 되겠지만 누군가 허락 없이 내 몸을 만지려고 할 때 거절하는 것도 용기가 필요하고, 내가 자유롭게 하고 싶은 걸 하고 싶다고 표현하는 것도 용기가 필요할 텐데. 만약 내가 내 마음을, 내 진심을 다른 사람한테 잘 표현할 수 있게 된다면 기분이 어떨 거 같아? 누가 내 몸을 허락 없이 만지려고 할 때 '하지 마! 원하지 않아!' 이렇게 거절할 수 있거나 부당한 일에 대해 사과를 요구한다거나 하는 마음을 표현할 수 있는 용기가 생긴다면 마음이 어떨 거 같아?"

"그러면 지금처럼 그렇게 불안하지는 않을 거 같아요."

"부모님 포함해서 어른들한테 어떤 식으로 표현하니? 나도 중학생, 고등학생 때 내 마음을 잘 전달하고 표현하는 걸 배우지 못했어. 나는 어떤 식으로 표현했냐면 말을 한마디도 안 하고 가만히 있고 방문을 쾅 닫고 들어가는 식으로 표현했는데 그때 부모님 심정이 어땠을까 생각하면 참 후회스러워. 너희들은 어떠니?"

"올해 초까지만 해도 진짜 표현도 안 하고 뭐라고 하시든지 말든지 한 귀로 듣고 속으로만 생각하고 그랬거든요. 그런데 요즘 막 터져요. 터지는 게 많아져서 엄마 아빠 앞에서도 직설적으로 말하게 돼요. 그래서 자꾸 싸워요."

혜진이가 속상한 마음을 표현한다.

"혜진이 마음에 용기가 생기긴 생겼네. 참다 참다 도저히 못 참을 때는 화산이 폭발하는 것처럼 이렇게 뿜어져 나오는데, 그러면 상대방은 엄청 놀라게 되거든. 놀라지 않도록 마음을 잘 표현하는 법도 배우면 좋겠다. 피스메이커에서 너희가 그런 걸 배우면 좋겠어. 너희도 나중에 어른이 될 텐데 지금 청소년으로서 삶을 어떻게 살고 싶은지 이야기해 줄 수 있니?"

"저는 삶을 제가 추구하는 대로 살고 싶어요. 자유를 추구하면서요. 틀에 박힌 생활보다 자유롭게, 내가 하고 싶은 대로 살고 싶어요."

"서윤이는?"

"저는 선생님께 하고 싶은 얘기가 있는데요. 선생님을 만나고 나서부터 조금씩 달라졌다고 해야 하나…. 예전 같았으면 주말에 항상 집에 누워서 아무것도 안 하고 있었을 텐데 피스메이커 모임에 나오면서 사람들 만나서 노는 게 조금 더 좋아졌다고 해야 하나? 그런 게 바뀐 거 같아요."

"서윤이가 목소리가 커졌고, 말도 또박또박하게 하고, 같이 활동하면서 긍정적으로 달라졌다는 이야기를 들으니까 뿌듯하다. 고마워!"

혜진이와 서윤이, 미경이와 유진이 그리고 함께 활동했던 피스메이커 청소년들이 솔직하게 표현해 주는 게 참 고맙다. 1년 또는 그 이상의 시간을 보냈다는 것만으로는 신뢰 관계가 쌓이지 않는다. 신뢰 관계를 쌓는 데는 기술이나 방법이 있는 게 아니다. 두려움을 솔직하게 드러내고 진심으로 마음과 마음이 통할 때라야 서로 신뢰할 수 있게 된다.

PART 06

청소년들이 겪는 폭력의 문제

피스메이커 청소년들과 사회문제를 주제로 이야기 나눈 적이 있다. 청소년들이 가장 심각하게 여기는 사회문제는 뭘까? 피스메이커 청소년들과 뽑은 사회문제는 차별과 혐오, 따돌림 등 학교폭력이었다. 중요하고 첨예한 문제였지만 감추고 싶은 민감한 주제.

장수에서 청소년들이 겪는 폭력은 어떤 걸까? 정도의 차이는 있겠지만 다들 한두 번씩 경험이 있었다. 은근하고 모호한 언어적 표현에 불쾌감을 느낀 것부터 따돌림을 당하거나 심지어 조리돌림을 당하는 일도 있었다. 한 사람을 단체 소통방에 초대해서 창피를 주거나 모욕을 주는 식이다. 방을 나가면 초대하고, 나가면 또 초대한다. 마음을 괴롭히는 방식이다. 이게 얼마나 힘들고 고통스러운 일인지 모른다.

어린이들과 공동체 놀이와 평화 수업으로 만날 기회가 종종 있는데 그때마다 깜짝깜짝 놀란다. 욕을 너무나도 잘 쓰기 때문이다. 욕을 어디서 배웠나 했더니 대개 인터넷이었다. 오픈 채팅이나 무작위 채팅에서 욕을 배운다. 유튜브에서 손가락 욕을 보거나 게임을 하면서 '패드립(부모 등 가족을 욕하는 것)'을 듣고 동생이나 또래에게 사용한다. 고학년뿐만 아니라 저학년 어린이들도 사이버폭력에 노출되어 심각한 지경이다. 욕을 배우고, 폭력을 대물림한다.

오래전에 있었던 일로 인해 낙인이 찍힌 일도 있었다. 피해를 본 사람도 피해를 복구하지 못하고, 잘못을 저지른 사람도 자신이 끼친 영향을 모르거나 진심으로 자기책임을 다하지 못한 채 덮이거나 묻혔다. 어떤 청소년은 "맞을 짓"이라고 표현하기도 하는데, 세상에 맞을 짓은 없다. 그 어떤 폭력도 정당화될 수 없다. 그걸 스스로 인정해서는 안 된다고 일러주고 싶다.

나의 내면에도 폭력성이 있다. 화가 치밀어 오르면 비

꼬거나 상처 주는 말을 했고 뺨을 때리기도 했었다. 부끄러운 이야기지만 나보다 약한 존재를 대상으로 폭력을 행사했었음을 고백하지 않을 수 없다.

나는 폭력을 당한 피해자이기도 했다. 나의 폭력성이 어디서 기인했는지 거슬러 올라가 보니, 친척이 가족을 구타하는 장면을, 부모님이 부부싸움하다 분을 못 이겨 손에 잡히는 대로 집어 던지고 손찌검하는 장면을 목격했던 것이 떠올랐다. 그리고 각인이 된 두 개의 장면이 떠올랐다. 둘 다 뺨을 맞은 사건이었다. 한 번은 아버지에게 맞았고 또 한 번은 고등학교 급우에게 맞았다.

내가 중학생이었을 때 서울 송파구 석촌동에 살았다. 아버지는 가정을 꾸려가기 위해 열심히 이것저것 시도하셨다. 1986년 아시안게임으로 탁구 열풍이 불자 탁구장을 개업했다가 1년도 안 되어 폐업했고 꽃집, 수족관, 떡볶이집 등을 차례로 열고, 닫았다. 지금이야 아버지가 얼마나 힘들고 고통스러운 시간을 통과해왔을지 헤아려지지만, 당시엔 정말 아무것도 모르는 중학생이었다. 뭘 해도 안 되니 어머니는 종교의 힘을 빌리기로 하셨던 모양이다. 교회에서 살다시피 했고, 아버지는 그런 어머니가 못마땅했다. 금요 철야예배로 밤늦도록 어머니가 집에 들어오지 않자 아버지는 나를 교회에 보내 어머니를 데리고 오라고 시켰다. 나는 투덜거리며 교회에 갔고, 어머니는 마치고 갈 테니 나보고 먼저 돌아가라고 했다. 둘 사이에서 난처했다. 터덜터덜 집으로 돌아오는데, 집 앞에 서 있던 아버지는 엄마는 어딨느냐며 격앙된 목소리로 채근했다. "끝나면 오신대요." 말이 끝나기도 전에 눈앞이 번쩍했다. 다짜고짜 뺨을 맞았다. 충격이었다. 맞은 뺨보다 마음이 더 아팠다. 눈물이 앞을 가렸다. 아차 싶었는지 아버지는 바로 미안하다며 사과했지만 내 마음이 풀릴 리가 없었다.

또 한 번은 고등학생일 때 일이 벌어졌다. 전교생이 700명 정도였고 문과와 이과가 반반 정도였다. 1학년 때 같은 반이었던 A와 나는 친하지는 않았지만, 같이 어울려 농구를 하는 정도의 사이였다. 2학년이 되어 반이 갈렸고, A가 일진들과 어울려 다닌다는 소문만 들었다. 만날 일이 없던 A와 다시 마주친 건 소풍 때였다. 소풍을 마치고 돌아오는 길에 A와 시비가 붙었다. 워낙 오래전 일이라 무슨 일로 시비가 붙었는지는 잘 기억나지 않는다. 당시에는 눈만 마주쳐도 '왜 째려보냐?'라며 싸움이 붙기도 했다. A가 내 앞을 막아서더니 "예전부터 재수없던 새끼가…"라고 말했던 것 같다. 나는 당황스러웠고 그 자리를 그저 피하고만 싶었다. 그때 다른 친구가 개입했고 상황은 종료되는 듯 보였다.

사건은 며칠이 지난 날 밤에 일어났다. 교회에서 모임을 마치고 돌아오는 길에 버스정류장 앞에서 A와 맞닥뜨린 것이다. A는 다짜고짜 멱살을 잡더니 뺨을 때렸다. 둘 사이에 친구가 개입한 게 기분이 나빴고, 평소 내가 재수없었다는 이유에서였다. 학교에서 눈에 띄지 말라며 유유히 사라지는 뒷모습을 보며 주먹만 불끈 쥘 뿐이었다. 학교에 가는 게 두려웠다. 다행히 그 뒤로 A가 찾아오는 일은 없었다. 문제는 그 이후 거의 10년 동안 그 기억이 나를 괴롭혔다는 것이다. 자다가도 벌떡벌떡 일어났고 버스를 타고 가다가도 갑자기 그 기억이 떠오르며 분노가 치밀었다. 상상으로는 A를 수백 번도 더 때려죽였을 것이다. 단지 뺨 한 대 맞았을 뿐이었고, 오해가 있었다면 풀면 될 일이었다.

이런 일도 있었다. 중학교 때 전학을 온 이후로 대학에 다닐 무렵까지 서울 성동구 금호동에 살았는데, 당시에는 아파트단지가 개발되기 전인 달동네였다. 아파트 개발을 반대하는 현수막과 타이어 태우는 검은 연기 그리고 투쟁

가가 익숙했던 동네였다. 앞집에는 젊은 부부가 태어난 지 얼마 안 된 아기와 살고 있었다. 그 집에서는 일요일마다 민중가요가 흘러나왔다. 대학생이었던 나는 그 집 아저씨가 철거를 반대하는 그런 운동권에 관련된 사람일 거라 짐작했고 약간의 동지 의식을 느꼈다. 어느 날 밤, 방에서 공부하고 있던 내 귀에 어머니가 아버지에게 이야기하는 목소리가 들렸다. 달동네 집들이 대충 지어져서 허름했기에 방음은 전혀 되지 않았다.

"시장 갔다 왔더니 아기가 막 울고 있더라고요. '아기 엄마가 어디 갔나 보네' 하고 지나쳐 오는데 갑자기 울음이 뚝 끊기는 거예요. 이상하다 싶어서 들여다봤더니 글쎄, 아기 아빠가 이불로 아기 입을 이렇게 틀어막고 있더라니까요. 놀라서 뭐하는 거냐고 소리 질렀더니, 일요일에 쉬는데 아기가 시끄러워서 그랬다는 거예요. 세상에! 어이가 없어서."

그 얘기를 듣는 순간 솔직히 충격이었다. 대학에서 선배들과 토론하면서 사회 부조리에 눈 떠가고 있었고 운동권은 정말 양심적이고 올바르다고 생각했기 때문이다. 선배들과 함께 데모하러 집회에 참여하기도 했지만, 마음

한쪽에서는 의구심이 들었다. 그 아기는 자랄 것이다. 유년이 되고 청소년이 되고 청년이 될 것이다. 아기의 아빠는 뉘우치고 달라질 수도 있겠지만 그 행동이 이어질 수도 있다. 그 아기는 지금 어떤 사람으로 자랐을까?

화가 치밀어 오르고 분노가 일어나면 어릴 적 내가 보았던 장면이나 당했던 장면이 무의식중에 떠올랐고, 나도 모르게 말과 행동으로 표현되었다. 뺨을 맞았던 나는 나보다 약한 상대의 뺨을 때렸다. 모방효과였다. 한때 손석희 아나운서가 멋있게 보여서 그의 말투를 따라 한 적이 있었다. 일부러 한 것은 아니었고, 나도 모르게 손석희 아나운서의 말투를 따라 하고 있다는 걸 친구들이 짚어주었다. YMCA 선배의 느릿느릿한 말투를 한동안 따라 한 적도 있는데, 그럴 때는 그 사람의 이미지가 머릿속에 떠올랐던 것 같기도 하다. 존경하고 좋아해서 모방하기도 하지만 죽도록 싫어해도 모방하게 된다. 폭력성은 후천적으로 환경과 경험들로 인해 학습된다. 그렇게 내면화된 폭력성의 위험은 대물림된다는 데 있다.

소년범으로 처분을 기다리던 B는 중학생이었다. 그의 범죄는 무면허운전이었다. 신분증을 도용해서 빌린 승용차를 난폭운전으로 몰다가 현장에서 체포되었다. B는 재미로 사람을 괴롭혔다. B가 어쩌다가 이렇게 되었을까 궁금했다. 다행히 B는 나에게 마음을 열었다. 그가 들려준 이야기는 충격적이고 끔찍했다. 선배들이 소변기에 담긴 얼음을 먹으라고 시킨다고 했다. 그리고 자기도 선배가 되어 같은 짓을 저질렀다는 것이다. 선배가 되어 왜 멈추지 않았느냐고 묻자 "억울해서"라고 답했다. 폭력의 대물림을 확인한 순간이었다. 토악질이 나왔다. B는 처분받거나 소년원에 다녀오면 달라질까? 그렇지 않을 것이다. B는 자신의 폭력성이 어디서 기인하는지를 확인했어야 했다. B와는 그 후로 만날 수 없었다. 아쉬웠다.

내가 처음으로 나의 폭력성을 알아챈 적이 있다. 한일월드컵이 한창이던 2002년 6월 경기도 양주에서 당시 여중생이던 미선이와 효순이가 미군 장갑차에 깔려 사망한 사건이 있었다. 한국과 미국 사이에 체결된 소파SOFA협정 때문에 한국 사법기관은 일절 손대지 못하고 주한미군이 무죄 평결을 내려서 국민적 공분을 불러일으킨 사건이었다. 이때가 촛불집회의 시작이었을 것이다. 11월이었나, 12월이었나, 광화문으로 미선이와 효순이 추모 집회에 참여하러 가는 길이었다. 지하철을 타고 가는 내내 미선이와 효순이를 죽인 그 미군들이 너무 미워서 멱살을 잡고 때리고 짓밟는 상상을 했다. 죽이고 싶었다. 그러던 찰나 문득, '어? 내가 왜 이렇게 무서운 상상을 하지?' 하는 질문이 떠오르면서 내 마음속에 폭력성이 있다는 것을 깨닫고는 몸서리를 쳤다. 미군들이 저지른 범죄는 처벌받아 마땅하지만 그렇다고 누군가 폭력으로 단죄하는 것은 옳은 일이 아니기 때문이다.

시민단체에서 일하거나 가치 있는 일을 하는 사람들에게도 자라온 배경과 학습된 것으로 인해 폭력성이 있을 수 있다. 우리 모두에게는 폭력적인 경험과 폭력적인 성향이 있다는 것을 인정할 필요가 있다. 자신이 처한 환경과 조건에서 학습되고 익혀온 그것은 대물림되면서 악순환이 된다. 그렇기에 이 폭력성을 끊어내야 한다. 끊어내기 위해서는 용기를 내야 한다. 폭력성을 인지하고 발견하고 깨닫고 고리를 끊으려는 결단이 필요하다. 학교폭력을 조사하고 발표했던 미경이의 마지막 말이 귓가에 선하다.

"가해자들에게 하고 싶은 말인데, 솔직히 학교폭력은 나도 당하기 싫은 거잖아요. 내가 당하기 싫은 걸 남한테 하는 건 아니라고 보거든요. 저는, 자기가 받기 싫은 건 남에게도 하지 말자는 말을 하고 싶어요."

PART 07

하고 싶은 것은 스스로 찾도록

청소년들과 하는 프로젝트의 대부분은 사실 활동가의 머리에서 나오는 경우가 많다. 청소년을 위한for youth, 청소년과 함께 하는with youth, 청소년이 하는by youth 모든 일이 소중하다. 궁극적으로는 청소년에 의해 프로젝트가 기획되고 실행되며 평가되는 구조가 이상적이다.

나의 청소년기를 떠올려보면 청소년은 원래 자치 활동을 해왔던 존재다. 고등학교 시절 미술반에 소속되어 있었고 부실部室도 있었으며, 담당 교사는 있긴 했으나 역할은 거의 없었다. 아니, 역할을 하지 않기를 바랐다. 당시 미술반은 가을 축제에 전시할 그림을 목표로 신입생은 선 연습부터 시작해서 스케치와 소묘, 수채화, 유화, 일러스트(보통은 삽화를 뜻하는데 당시엔 사진을 보고 똑같이 채색해서 그리는 걸 칭했다), 디자인 등을 차근차근 배워갔다. 담당 교사였던 미술 선생님이 가르쳐주는 게 아니었다. 선배들로부터 전수되는 구조였다. 선배들은 미대를 목표로 미술학원에 다니면서 배운 것을 후배들에게 전수해주었다. 나중에 깨달은 것이지만, 전수해주면서 선배들 본인의 실력도 늘게 된다.

미술부 활동은 그림만이 아니었다. 예절, 생활 태도, 관계 형성 등도 중요한 활동의 일부였다. 기강을 잡는다며 때리기도 했다. 서운함을 풀어주기 위해 선배들은 후배들의 종아리에 안티푸라민 연고를 발라주었고 신당동 떡볶이촌에 데려가곤 했다. 인근 여학교 미술반과의 교류를 통해 사회성을 기를 수 있었고, 폭력의 대물림같이 부정적인 면도 있었지만 나는 그곳에서 세상 살아가는 법을 배웠다. 청소년이었던 우리를 도와주거나 함께하는 어른이 없었기에 우리끼리 좌충우돌식 자치 활동을 했다고 할까? 하지만 지금 와서 돌아보니 당시 미술반 활동에는 중요한 것이 하나 빠져 있었다. 바로 세상과의 연결이었다. 미술반 활동이 재미는 있었지만 그건 우리끼리 소비하는 즐거움이었고, 세상에 이바지하는 경험은 하지 못했다.

그때 누군가 우리에게 짚어주고 알려주는 어른이 있었더라면 어땠을까? 그래서 나는 장수에서 청소년을 만나면서 꼰대처럼 참견하지 않되 꼭 필요한 것을 짚어주는 어른이고 싶었다. 청소년들이 주체로 참여해서 만들어가는 청소년활동을 하고 싶었다.

유진이로부터 문자가 왔다.

"쌤, 노래 하나 만들고 있는데 들어보실래요?"

첨부된 MP3 파일을 열어 노래를 들어보니 유진이 목소리가 맑고 청량해서 마음에 들었다. 평소 말할 때의 목소리와 노래하는 목소리가 달랐다. 노래하는 목소리가 따로 있구나! 멜로디도 괜찮았다. 바로 전화를 걸었다.

"유진아! 이 노래, 같이 제대로 한번 만들어볼까?"

프로젝트팀이 꾸려졌다. 유진이와 미경이 그리고 나중에 결합한 서윤이. 회의를 하면서 청소년들이 겪는 가장 큰 화두인 '진로'와 '인간관계'를 주제로 가사를 만들었다.

미경이는 상담에 관심이 있었기에 두 가지 주제로 대화를 하면서 나온 키워드로 가사를 만들자고 제안했다. 서윤이는 그림 솜씨가 있었기에 커버 디자인을 맡았다. 나는 녹음실을 찾아보기로 했다. 여름방학 중에 마쳐야 했기에 마음이 조급했다. 세 번 모임을 하면서 겨우 가사가 만들어졌고, 전주의 녹음실에서 녹음과 마스터링까지 마무리했다. 팀원들은 눈이 빠지게 음원 파일을 기다렸고, 음원 파일이 담긴 메일이 도착하자마자 팀원들뿐만 아니라 YMCA 회원과 지인들에게 들려주었다. 다들 목소리가 맑고 투명하다며 피드백을 해주었다. 사람들이 좋아하더라는 피드백을 유진이와 팀원들에게 전해주었다. 내친김에 공모전에도 출품했다. 마침 재외동포재단에서 국내외 청소년들을 대상으로 여는 '더 위대한 도전'이라는 공모전 소식을 들었다. 유진이는 창작 음악 부문에서 동상을 받았다. 이 경험에 대해 유진이와 나눈 이야기가 있다. 유진이의 꿈은 미용실을 운영하면서 자기가 만든 노래를 손님들에게 들려주는 것이다.

"음악을 하고는 싶은데 장비도 없고 뭘 어떻게 해야 할지 몰라서 우울했던 적이 있었어요. 그런데 피스메이커 활동을 하

면서 내가 가치 있는 사람이란 걸 알게 되었어요."

"유진이가 가치 있는 사람이라는 걸 알게 되었다는 게 나에게는 무척 기쁘게 들려."

"선생님이 저한테 물어보시잖아요. 그때마다 제가 대답하는 것이 제가 생각해도 멋있는 거예요. 이번에 음악 작업도 하면서 나에게 재주가 있다는 것도 알게 되었고요. 사람들이 좋다고 말해주셔서 기분이 정말 좋았어요. '뭐든지 해보자' 프로젝트 있잖아요. 사실 그거 해보고 싶었거든요. 그 프로젝트에서 내가 음악을 할 수 있지 않을까, 기대감이 있었어요. 그리고 꿈을 이뤘어요. 음악을 여기서 한번 해보는 거. 공모전에 나가서 상도 탔고요."

"상금이 많아야 할 텐데, 장비 사려면."

농담 삼아 한 말에 유진이가 배시시 웃는다. 원래 곡 만드는 작업은 애초 활동 계획에는 없었다. 만약 내가 원하는 방향으로 이끌어 가려고 했다면 곡 작업이 아닌 다른 것이었을지 모른다. 어쩌면 학교폭력을 예방하자는 캠페인이 되었을 수도 있다. 하지만 거기엔 청소년들의 마음이 담겨 있지 않았을 것이다. 세상과 연결하고 이바지해야 한다는 강박감이 작용했더라면 이토록 재미있지 못했을 것이다. 나는 유진, 미경, 서윤이와 작업하면서 겪은 이 경험을 통해 배웠다. 내가 하고 싶은 것을 청소년들을 내세워서 하려고 해서는 안 된다는 것이다. 또 나의 역할에 관한 생각이 더 명료해졌다. 청소년들이 하고 싶은 것 그리고 할 수 있는 것을 북돋는 것, 스스로 가치를 발견하도록 시간과 공간을 마련하는 것이 나의 역할이다. 청소년의 처지와 입장을 살피다 보면 안목은 자연스럽게 형성되리라 믿는다.

청소년활동가로서 청소년들에게 제시하는 것은 마중물이다. 마중물은 필요하다. 경험이 적은 청소년들에게 다양한 기회가 주어져야 자기만의 기준을 세울 수 있기 때문이다. 하지만 마중물만 계속되어서는 곤란하다. 주는 물만 받아먹어서는 성장할 수 없다. 뿌리내려 양분을 흡수할 수 있어야 성장한다. 다양한 경험을 하고 나서는 온전히 청소년, 자신의 몫이다. 스스로 책임지도록 인내심을 가지고 지켜봐 주고 기다려주자!

나는 청소년들을 처음 만날 때 종종 이렇게 묻는다.

"여러분은, 시키면 합니까? 아니면 스스로 합니까?"

"여러분은 하고 싶은 게 있습니까?"

대개 조용하다. 만약에 하고 싶은 게 없다면, 못 찾겠다면, 그동안 시켜서 하는 일에 익숙했고 시키는 것만 해 왔을 가능성이 크다. 자기가 뭘 좋아하는지 모르겠다거나 뭘 잘하는지 모르겠다면 모르는 게 당연하다. 그동안 시키는 것만 해왔잖나. 스스로 해본 적이 없지 않나. 지금부터라도 스스로 해보면 된다. 그런데 도대체 어떻게?

우리가 경험할 수 있는 일은 크게 3가지로 나눌 수 있다.

첫 번째는 '해야 하는 일'이다. 시켜서 하는 일의 대부분은 해야 하는 일이다. 우리는 해야 하는 일에 파묻혀 산다. 공부를 '해야 하고' 일을 '해야 한다.'

두 번째는 '하고 싶은 일'이다. 지금보다 더 어릴 적엔 하고 싶은 일이 많았을 것이다. 지금은 해야 하는 일을 하고 나중에 하고 싶은 걸 하라는 얘기도 들었을 것이다. 결국 나중에도 하고 싶은 일은 하지 못하게 된다.

세 번째는 '할 수 있는 일'이다. 이것부터 하면 된다. 할 수 있는 걸 하다 보면 하고 싶은 것도 하게 된다. 나아가서, 해야 하는 것도 기꺼이 하고 싶은 마음으로 할 수 있다.

나에겐 꿈이 있고, 하고 싶은 일이 있다. 청소년들이 아지트처럼 편안하게 사용할 수 있는 공간을 만드는 일이다. 내가 만들고 싶고 하고 싶은 일이지만 아직 미뤄두고 있다. 사람들을 만나야 하고 설득해야 하고 모금해야 하지만 아직 엄두가 나지 않기 때문이다. 대신 나는 할 수 있는 것부터 하고 있다. 장수의 청소년들이 행복하기를 바라는 동료를 모으는 일이다. 때로는 엉뚱한 상상을 하기도 한다. 누군가 독지가가 나타나 짠! 하고 건물을 지어준다거나 행정기관에서 비영리단체를 위해 공유공간을 내준다거나 하는 상상이다. 하지만 상상만 하련다. 왜냐하면 누군가 뚝딱 만들어주면 좋긴 하겠지만 거기엔 과정이 없기 때문이다. 함께 뜻을 세우고 만들어가는 과정이 없다면 그건 빈껍데기에 불과하다. 하고 싶은 것을 마음에 품고 있다면 그리고 그 뜻을 버리지 않는다면 언젠가 이루어지리라 믿는다. 그 방향으로 뚜벅뚜벅 걸어갈 것이기 때문이다. 청소년들에게도 할 수 있는 것부터 하자고 제안한다.

청소년들에게 스스로 하도록 권유할 때 가끔 사용하는 방법이 있다. 청개구리 심리를 활용한 방법이다. 하라고 하면 안 하고, 하지 말라고 하면 하는 게 참 희한한 심리이다. 이를테면 이런 식이다. "이건 내 주관적인 얘기니까 귀담아듣지 않아도 돼! 귀담아듣지 마!" 이렇게 얘기하면 청소년들은 의외로 귀담아듣는다.

청개구리 심리 밑바탕엔 자기 결정성, 자기 주도성이 깔려있다. 청개구리 심리는 반발심이다. 누군가 '이렇게 해!' '저렇게 해!'라고 할 때는 반발심이 들게 돼 있다. 반발은 '당신의 말을 듣지 않고 내가 주도해서 하겠어!'라는 의미다.

자기 결정성에 관한 이론은 에드워드 L. 데시의 저작 『마음의 작동법』(원제: Why We Do What We Do)에 상세히 소개되어 있다. 노파심에서 말하자면 자기 결정성과 자기 결정권은 비슷한 표현이지만 용법이 다르다. 자기 결정성self-determination은 에드워드 L. 데시 등이 수십 년에 걸쳐 연구한 자율성과 동기부여에 관한 심리학적 이론이고, 자기 결정권은 헌법에 등장하는 용어다. 생긴 모양은 같지만 담긴 내용은 다르다.

내가 수년간 장수에서 청소년을 만나면서 시도하고 실험했던 활동을 토대로 말할 수 있는 것은 청소년들은 자신이 결정해서 선택한 일에 최선을 다한다는 것이다. 나 역시 나의 의지로 결정해서 선택한 일이 바로 청소년활동이고, 청소년이 스스로 도전하고 가치를 찾고 행복하도록 북돋는 것이 나의 소명이다.

PART 08

지금 여기서 행복하기를!

사람답게 살고 있는가? 청소년으로서도, 어른으로서도 필요한 질문이다. 사람답게 산다는 건 어떤 의미가 있을까? 나는 왜 사는가? 이 세상에 태어난 이유는 무엇인가? 나는 도대체 누구인가? 청소년들은 이런 질문을 품고 사는 게 맞다. 청소년 시기에는 누가 묻지 않아도 이런 질문이 떠오르기 마련이다. 그런데 지금의 현실은 이런 질문을 품지 못하게 가로막고 있다. 대학에 가야 하고 좋은 직장을 구해야 하니까.

정작 중요한 질문이 없이, 생각 없이 살아가는 청소년들은 쪼그라들고 위축된다. 자신감과 자존감은 저 멀리 안드로메다 어딘가로 떠나보낸 채.

청소년들은 왜 공부하는가? 대학에 가야 하니까. 왜 대학에 가야 하는가? 좋은 직장을 구해야 하니까. 좋은 직장은 왜 구해야 하는가? 행복해지고 싶어서. 결국 삶의 목표는 행복이다.

그런데 행복해질지 알 수 없는 미래를 위해 왜 지금의 시간을 희생해야 할까? 지금 행복하지 않은데 미래에 행복해지리란 보장이 있을까? 청소년 시절에 행복하다고 느끼지 못하면 어른이 되어서도 마찬가지다.

사람들은 미래에 대해 궁금해한다. 미래를 예측하는 건 참 어렵고 힘들다. 세상이 어떻게 변할지 어떻게 알 수 있겠는가? 그런데 사람의 미래는 알 수 있다. 내가 과거에 어떻게 살아왔는지, 내가 지금 어떻게 살고 있는지를 보면 된다. 나의 과거가 현재를 만들었고 현재는 미래로 향하니까. 과거의 축적된 경험을 통해 만들어진 내가 지금 사는 모습은 미래에도 크게 달라지지 않을 테니까. 오늘 할 일을 내일로 미루면 미래에도 늘 다음날로 미루고 있을 테니까.

지극히 단순한 진리다. 목표하는 게 있다면, 목표를 이루고 싶다면, 지금 무얼 하고 있는지 보면 된다. 목표를 향해 달려가고 있는지, 아니면 헛된 망상만 하고 있는지.

더 나은 내가 되고 싶다면 오늘의 나를 바꾸면 된다. 미래에 행복해지고 싶다면 지금 여기서 행복하면 된다.

나는 청소년들이 지금 여기서 행복했으면 좋겠다.

이 책을 내는 데 도움을 주신 분들

(사)들꽃청소년세상
70sunbee
강민채
강서구
강정현
경연준
고승현
교육협동조합마을학교
구자임
구자홍
권기봉
권기현
권명호
권민영
권시은
권영란
김경희
김광승
김광훈A
김광훈B
김균수
김나미
김나영
김동영
김동호
김명지
김미금
김민중
김민지
김봉희
김서휘
김선녀
김선민
김성기
김성만
김세라
김수열
김순복
김순옥
김슬기
김승기
김양현
김영배
김영아
김완중
김윤주
김은미
김일규
김일신
김재호
김종완
김주완
김중식
김지은
김찬수
김태완
김한범
김현수
김현진
김형기
김혜숙
김휘승
김희정
남우정
남정덕
노선종
노익선
노학주
당진YMCA
도승철
도진호
류옥자
류희경
림보책방
문서영
문석준
민정원
박갑철
박경
박경애
박기숙
박민자
박민주
박샘
박선형
박성근
박성희
박윤희
박은숙
박인예
박주익
박진희
박희숙
박희정
배상철
배현호
베르
서광수
서문미
서이선
서혜린
손상용
손지완
송승문
송영미
신귀백
신난희
신은영
안가민
안권이
안다섬
안산이주민센터
안성균
안용현
양병희
양원석
양은서
양주옥
여은선
오상욱
오성우
오원석
오윤택
용영아
유선화
유춘자
육아름
윤광식
윤성희
윤영직
윤일호
윤정희
윤지혜
이건의
이경미
이경민
이광익
이권민
이귀애
이기한
이길내
이동희
이미순
이미양
이민우
이병규
이삼남
이상빈
이상용
이상은
이서광
이선미
이수연
이순영
이신자
이옥희
이월숙
이유미
이윤기
이윤명
이은영
이은정
이재명
이정영
이정희A
이정희B
이종대
이종명
이종필
이지은
이진희
이창섭
이창호
이해인
이헌건
이현철
이혜정
이희태
인유정
임병혁
임성규
임영선
임영옥
임유정
임은경
임태산
임혜선
임혜연
장동환
장성열
장세라
장수민중의집우리동네
장영신
장현례
장희경
전규미
전영미
전일순
전재을
전지혜
전한우
전희식
정건희
정남태
정상숙
정수현
정영숙
정유생
정윤주
정이채
정지성
정지윤
정창숙
정호영
정효자
조가영
조경현
조명규
조민경
조순실
조영진
조원지
조정현
조혜연
지준섭
지현숙
진동근
차동신
최덕현
최원재
최유진
최윤정
최인헌
최정규
최창수
최향란
하태호
하해숙
한서영
한재경
한재우
한현정
함문식
허연희
허지영
홍경미
황정옥
황정임
황진